A SOCIEDADE DOS SONHADORES INVOLUNTÁRIOS

1ª reimpressão

JOSÉ EDUARDO AGUALUSA
A SOCIEDADE DOS SONHADORES INVOLUNTÁRIOS

Copyright © José Eduardo Agualusa, 2017
Copyright © Editora Planeta do Brasil, 2017
Todos os direitos reservados.

Preparação: Tiago Ferro
Revisão: Ana Lima Cecilio e Thais Rimkus
Projeto gráfico: Jussara Fino
Diagramação: Abreu's System
Capa: Adaptada do projeto gráfico original de Compañía
Imagem de capa: Alex Cerveny

Este romance é inteiramente um trabalho de ficção. Os nomes, os personagens e as situações retratados nele são fruto da imaginação do autor. Qualquer semelhança com pessoas reais, vivas ou mortas, situações ou localidades é mera coincidência.

CIP-BRASIL. CATALOGAÇÃO NA PUBLICAÇÃO
SINDICATO NACIONAL DOS EDITORES DE LIVROS, RJ

A224s

    Agualusa, José Eduardo, 1960-
        A sociedade dos sonhadores involuntários / José Eduardo Agualusa. - 1. ed. - São Paulo: Planeta, 2017.
        256 p. ; 21 cm.

        ISBN 978-85-422-1080-4

        1. Romance angolano. I. Título.

17-42695   CDD: 869.8996733
                                             CDU: 821.134.3(673)-3

2021
Todos os direitos desta edição reservados à
EDITORA PLANETA DO BRASIL LTDA.
Rua Bela Cintra, 986 – 4º andar
01411-000 – Consolação
São Paulo – SP
www.planetadelivros.com.br
faleconosco@editoraplaneta.com.br

Para Yara, este e todos os meus sonhos.

Para Patrícia Reis e Sidarta Ribeiro.

Para Laurinda Gouveia, Rosa Conde, Luaty Beirão, Domingos da Cruz, Nito Alves, Mbanza Hamza, José Hata, Samussuko Tchikunde, Inocêncio Brito, Sedrick de Carvalho, Albano Bingo, Fernando Matias, Nelson Dibango, Arante Kivuvu Lopes, Nuno Álvaro Dala, Benedito Jeremias, Osvaldo Caholo e todos os jovens sonhadores angolanos.

O real dá-me asma.
E. M. CIORAN

*Recordemo-nos sempre
de que sonhar é procurarmo-nos.*
BERNARDO SOARES/FERNANDO PESSOA

1.

Acordei muito cedo. Vi através da estreita janela passarem compridas aves negras. Sonhara com elas. Era como se tivessem saltado do meu sonho para o céu, um papel de seda azul-escuro, úmido, com um bolor amargo crescendo nos cantos.
Levantei-me e saí para a praia descalço e em cuecas. Não havia ninguém no areal. Não me apercebi do homem que me observava, sentado numa cadeira de balanço, verde-escura, enquanto o sol escalava os morros. Logo o ar se encheria de luz. Pequenas ondas, uma após a outra, bordavam finas rendas de espuma. As falésias cresciam atrás de mim. Acima das falésias cresciam os cactos, como altas catedrais de espinhos, e para além deles o rápido incêndio do céu.
Entrei na água e nadei em braçadas lentas. Há quem nade por puro prazer. Há quem nade para manter a forma. Eu nado para pensar melhor. Recordo com frequência um verso da poetisa moçambicana Glória de Sant'Anna: "Dentro da água eu sou exata".
Divorciara-me no dia anterior. Encontrava-me no jornal, *O Pensamento Angolano*, a transcrever a entrevista que fizera a um piloto, quando o telefone tocou. O piloto, Domingos Perpétuo Nascimento, foi militar. Formou-se na União

Soviética. Combateu em Mavinga, na maior batalha em chão africano desde a Segunda Grande Guerra, aos comandos de um MiG-21. Anos mais tarde foi capturado pela guerrilha, num ataque a uma coluna de carros civis que seguiam de Luanda para Benguela, e passou-se para o lado dos sequestradores. Após o fim da guerra ingressou nos quadros da companhia aérea nacional. Dias antes encontrara um saco com um milhão de dólares numa das casas de banho do avião e o entregara à polícia. Era uma boa história. O tipo de história em que eu tinha me especializado. Estava tão entusiasmado que ignorei o telefone. O aparelho calou-se por um breve instante e logo recomeçou a tocar. Finalmente, atendi. Reconheci a voz áspera e autoritária de Lucrécia:

— Onde estás?

— No jornal...

— Pois devias estar no tribunal, o divórcio está marcado para daqui a quinze minutos.

Disse-lhe que não sabia de nada. Ninguém me informara. A voz de Lucrécia subiu um tom:

— O tribunal mandou-te uma intimação, mas foi parar no endereço errado. Só há pouco me dei conta. Anotei mal o teu endereço. Seja como for, tens dez minutos.

Conheci Lucrécia numa festa. Mal a vi soube que me casaria com ela. Comentei com um amigo que a achava quase perfeita: "Só é pena esticar o cabelo". Durante todos os anos em que estivemos casados nunca consegui convencê-la a usar a cabeleira cacheada, natural, ondulando sobre os ombros.

"Pareço uma fera", queixava-se Lucrécia.

Começamos a namorar em setembro de 1992, durante as primeiras eleições. A euforia andava pelas ruas de braço dado com o terror. Os meus dias decorriam entre comícios, festas, viagens pelas províncias, conversas intermináveis em bares, varandas e quintais. As pessoas adormeciam com a certeza de que o país estava à beira do fim e acordavam convictas de que viviam os primeiros dias de uma longa era de progresso e paz. Pouco depois a guerra recomeçou, mais violenta do que nunca, e nós casamos. Não foi uma coincidência, mas só compreendi isso demasiado tarde. Na época, eu dirigia a seção de cultura do *Jornal de Angola*. Escrevia sobre livros. Entrevistava escritores, músicos e cineastas. Gostava do meu trabalho. Lucrécia tirara um curso de decoração de interiores em Londres. O trabalho não lhe ocupava muito tempo. O pai, Homero Dias da Cruz, enriquecera misteriosamente nos últimos anos do partido único e da economia centralizada, quando expressões como "internacionalismo proletário" e "ditadura democrática revolucionária" ainda eram populares, e ninguém falava de "acumulação primitiva de capital" como um eufemismo para corrupção.

Homero formou-se em direito, em Coimbra, em 1973. Logo após a independência foi nomeado diretor de uma importante empresa estatal. Abandonou o setor público em 1990, já muito rico, já membro do comitê central do partido, para criar uma firma de apoio à exploração mineira. É um homem seco, ríspido, muitas vezes rude com os empregados e os colaboradores. Foi sempre, contudo, um marido atento e um pai carinhoso. Até hoje, embora todos os filhos já tenham mais de quarenta anos, faz questão de organizar a vida deles. A nós, por exemplo, ofereceu um apartamento. Vivíamos na Maianga. Levávamos uma vida tranquila. A guerra não nos afetava.

Lucrécia engravidou. A nossa filha nasceu numa esplendorosa manhã de sol, em março, numa clínica privada, em Londres. Demos-lhe o nome de Lúcia. Tornou-se uma criança alegre, saudável, que desde muito cedo revelou uma ardente paixão por pássaros. Homero tinha uma gaiola enorme no quintal, dentro da qual viviam, em ruidoso e desordenado convívio, dezenas de viuvinhas, catuítis, bigodinhos, bicos-de-lacre e canários. Lúcia agarrava-se às grades da gaiola e ficava ali, durante horas, tentando se comunicar com as aves. Aprendeu a imitar o canto de cada uma delas muito antes de começar a falar. Durante anos acreditei que tinha sido por isso que o meu pai começara a chamá-la de Karinguiri, um passarinho de Benguela. A alcunha pegou.

Foi só após um jornal português me contratar como correspondente, e eu ter começado a escrever sobre política e sociedade, que surgiram os problemas entre Lucrécia e eu. Não que Lucrécia desaprovasse os meus escritos. Nunca se interessou por política. Era Homero quem não gostava.

— Roupa suja a gente lava em casa — sentenciou em certa ocasião. — Não gosto que andes a falar mal do país num jornal estrangeiro.

Tentei explicar-lhe que não podíamos confundir o governo com o país. Criticar os erros do governo não era o mesmo que destratar Angola e os angolanos. Pelo contrário, eu criticava os erros do governo porque sonhava com um país melhor. Homero afastou os meus argumentos com um gesto irritado:

— Não tens necessidade nenhuma de escrever para esse jornal. Quanto é que eles te pagam?

— Mil dólares por mês.

— Mil dólares?! Mil dólares?! Tanta coisa por mil dólares? Pois eu dou-te dez mil todos os meses para que não escrevas. Vocês agora têm uma filha. Precisas dar mais atenção à tua família.

Olhei-o, pasmado, e recusei a oferta. Poucos dias depois fui chamado ao gabinete de João Aquilino, o diretor do *Jornal de Angola*. Aquilino sabia que, na redação, todos o desprezavam. Ninguém se referia a ele senão pela alcunha, Toupeira, que lhe assentava na perfeição. Era um sujeito mirrado, um pouco curvo, com olhos pequenos e estreitos e um semblante encardido, um tanto rústico, que nenhum dos seus fatos caros conseguia melhorar. Fora nomeado diretor não pelas suas qualificações enquanto jornalista, que não tinha nenhuma, e sim pelo seu passado de esforçado militante do partido. Disse-me, numa voz aflautada, que eu estava a infringir as regras da casa ao colaborar com uma publicação estrangeira. O jornal exigia exclusividade. Ou eu deixava de colaborar com os portugueses, ou teriam de me despedir. Chamei-lhe a atenção para o fato de vários outros jornalistas da casa, inclusive o chefe de redação, trabalharem também para publicações estrangeiras. Se o jornal queria exclusividade, deveria pagar melhor. O Toupeira ergueu-se. Contornou a mesa com os braços cruzados nas costas e veio colocar-se diante de mim em bicos de pé:

— Sabe por que ainda o não despedi? Pela muita consideração que tenho pelo senhor seu sogro. Estou farto da sua insolência. O senhor tem o rei na barriga. Julga que é superior a todos nós só porque estudou fora e leu meia dúzia de livros em inglês. Fica avisado, mais qualquer artigo num jornal do colono e vai para o olho da rua.

Recuei dois passos e voltei-me para sair. Já estava na porta quando o Demônio Benchimol, é assim que eu lhe chamo, baixou em mim. Fechei a porta e avancei contra o Toupeira de dedo em riste:

— O senhor não tem vergonha?!

O miserável recuou aos saltinhos, aterrorizado:

— Como?!

— O senhor nem jornalista é! O senhor é um polícia do pensamento, um comissário político ao serviço da ditadura!

— Está despedido! Está despedido! Arrume as suas coisas e vá-se embora!

Saí sob o aplauso de metade da redação. A outra metade fez de conta que não me via. Nessa noite, quando lhe contei o que se passara, Lucrécia zangou-se comigo. O meu sogro reagiu ainda pior. Ligou-me, enfurecido, para me dizer que, com a minha atitude, envergonhara a família inteira. Duas semanas mais tarde, durante um almoço de sábado, ergueu-se do cadeirão que ocupava à cabeceira da mesa e dirigiu-se a mim aos gritos:

— Estou farto dos teus artigos nesse jornal português, sempre a falar mal de Angola e dos angolanos. Sempre a denegrir a nação. Vou comprar o pasquim e nunca mais lá escreves.

Um dos primos de Lucrécia, que vivera a vida inteira em Lisboa e, terminado o curso, decidira regressar ao país, tentou defender-me:

— Calma, tio, o Daniel tem direito a escrever o que quiser, e o senhor tem direito a discordar. Estamos em democracia e numa democracia é saudável haver opiniões diferentes.

— Tu, cala-te! — ordenou Homero. — Ainda agora chegaste ao país e já falas em democracia? Deus fez os leões e fez as gazelas, e fez as gazelas para que os leões as comessem. Deus não é democrático.

Desceu sobre a mesa um silêncio constrangido. Eu levantei-me e fui-me embora. Duas semanas mais tarde alguém – nunca se chegou a saber o nome do empresário ou grupo empresarial – comprou o jornal português para o qual eu trabalhava. O diretor ligou-me, pesaroso, a dizer que não podia continuar a ter-me como colaborador:

— Pertencemos agora a uma empresa angolana, não te posso dizer o nome. Prometeram não mexer na linha editorial, mas exigiram a tua cabeça. Tenta compreender, amigo, tenho família, não posso perder o emprego.

Lucrécia ficou do lado do pai. Eu passei a ser o inimigo.

— Não gostas da minha família — disse-me. — Não fazes esforço algum para te integrar. Quem não gosta da minha família é porque não gosta de mim.

Telefonei para vários jornais e revistas de Luanda, implorando emprego, mas não consegui nada. Passava os meus dias em casa, lendo, navegando na internet, assistindo a filmes na televisão, brincando com a minha filha. Lucrécia regressava do trabalho e discutia comigo. Foram meses terríveis. Acordava a chorar. Tomava longos banhos de imersão numa água lamacenta, escura, e era como se me afundasse na própria noite. Fui salvo por um amigo, Armando Carlos, que uma tarde passou lá por casa para me visitar e me arrancou do torpor:

— Veste-te. Prepara a mala e vem comigo.

— Para onde?

— Para minha casa. Não podes continuar aqui.

Armando Carlos vivia num apartamento do outro lado da rua. Fora herança de uma velha tia, solteira e sem filhos, que morrera três anos antes. Ficava no quarto andar de um prédio muito degradado. O piso, em madeira corrida, estava solto e tinha algumas tábuas a precisarem ser trocadas. A tinta nas paredes descascava. A camada externa, de um verde-limão, combinava harmoniosamente com a cor da primeira pintura, um amarelo delido. A impressão geral não era de decadência, e sim de um fausto fatigado, talvez por causa do luxo daquela luz magnífica, que entrava livremente pelas enormes janelas sem cortinas e reverberava nas paredes. O apartamento era composto por uma sala imensa, cozinha e três quartos, dois deles suítes. Creio que me pareceu mais desafogado devido à ausência de mobília. Não havia quase nada lá dentro, tirando três colchões, um em cada quarto, e meia dúzia de livros.

— Ofereci a mobília. Ofereci os discos e os livros. Ofereci quase toda a minha roupa — explicou-me Armando enquanto me mostrava o apartamento. — Só tenho duas camisas, duas calças, duas meias, duas cuecas e um par de sapatos. Não preciso de mais. Ter consome muita energia. Vigiar o que se tem consome ainda mais, desgasta, corrompe a alma. Bom mesmo é desfrutar. Eu não quero o veleiro, quero a viagem, não quero o disco, quero a canção. Entendes?

O entusiasmo dele fez-me rir:

— Sim, acho que entendo.

— Sofro dessa ânsia de não ter, mano. A minha maior ambição é ter cada vez menos. Quem nada tem, tem mais tempo para tudo o que realmente importa.

— Isso é budismo?

— Não. Puro preguicismo.

— Preguiça? Parece-me uma ambição enorme, sobretudo num país onde as pessoas querem ter cada vez mais.

Armando pensou um pouco:

— Talvez tenhas razão. Sou preguiçoso, mas sou um preguiçoso com grandes ambições. Se é para não ter, então quero não ter muito. Se é para não fazer, quero não fazer muitíssimo.

Os espessos dreadlocks ainda não eram de um branco imaculado, como estão agora. Os fios claros misturavam-se com os escuros dando ao conjunto um tom de prata. Fazia um contraste bonito com o tom escuro e brilhante da pele. Fomos para a cozinha, a única divisão mobiliada e equipada, e ele preparou-me uns ovos mexidos com queijo e fiambre.

— Não sei onde tinha a cabeça quando me apaixonei por essa mulher — confessei depois de terminar a terceira cerveja.

Armando riu-se:

— A paixão é um instante de desvario. Pessoas que casam por paixão deviam ser consideradas inimputáveis, e esses casamentos, anulados.

— Não está mal visto — concordei.

— As pessoas só deveriam ser autorizadas a casar estando lúcidas. Não entendo por que, sendo proibido dirigir bêbado, não é proibido casar bêbado, ou apaixonado, que é a mesma coisa. Um casamento não é assim tão diferente de um carro. Mal conduzido, pode ferir muita gente, a começar pelos filhos. Lúcidas, as pessoas só casariam por interesse, como os meus pais.

— Os teus pais casaram por interesse?

— Claro. Estão casados até hoje.

Vivi vários anos no apartamento do Armando. Durante esse tempo escrevi peças para teatro e fiz traduções técnicas para diversas empresas. Armando é ator. Dirige uma companhia pequena, mas muito ativa, os Mukishi, que recebe apoio financeiro de instituições do norte da Europa para trabalhar sobre questões ligadas aos direitos humanos e à saúde pública. O dinheiro não era muito. Todavia, depois de adotar a filosofia do meu amigo, descobri que conseguia viver com quase nada e ser feliz. Acho que nunca fui tão feliz como naquela época. O tempo passou. Há três ou quatro anos convidaram-me para integrar a redação de um novo jornal on-line, um projeto independente, que me entusiasmou. Aluguei um apartamento em Talatona, comprei um gato, ao qual dei o nome de Baltazar, e voltei a ter uma vida mais ou menos normal. Foi então que recebi a chamada de Lucrécia. Ela começara a namorar com um empresário, um tipo que fora meu colega no liceu, e queria casar. Pediu o divórcio. Concordei. Mesmo assim, sem que eu compreendesse o motivo, avançou com um processo litigioso.

Foi então que recebi uma chamada dela convocando-me para o tribunal. Quando lá cheguei encontrei-a acompanhada por um famoso advogado, que eu conhecia dos almoços de sábado em casa de Homero.

— Não tens advogado? — perguntou-me Lucrécia.

Ela sabia muito bem que eu não tinha advogado.

Saí do tribunal divorciado e derrotado. Não voltei ao jornal. Entrei no carro e conduzi até Cabo Ledo. A meio do caminho um candongueiro cruzou a faixa, disparado, atirando-se contra mim. Desviei-me nem sei bem como, por puro instinto, enquanto o outro galgava a calçada e batia de encontro a um enorme cacto. Parei, saltei do carro, e corri para ver se estavam todos bem. Felizmente ninguém se ferira. Os passageiros gritavam com o motorista. Prossegui viagem. Cerca de uma hora mais tarde abrandei, virando à esquerda por uma trilha de terra batida, até me deter à sombra de uma mangueira. Sete bangalôs, de teto de colmo, cada um pintado de uma cor diferente – vermelho, laranja, amarelo, verde, azul, índigo e violeta –, alinhavam-se ao longo da costa. Um deles tinha uma placa com o nome, Hotel Arco-Íris, e era nele que estava instalada a recepção. Entrei, cumprimentei o proprietário do estabelecimento, um sujeito muito magro, com um rosto chupado, cabelos ralos, desarrumados, e ferozes olhos de corvo, e disse-lhe que pretendia ficar uma noite. Já estivera ali algumas vezes. Conhecia o homem, sabia como se chamava, Hossi Apolónio Kaley, mas nunca trocáramos senão duas ou três palavras de circunstância. Hossi coçou a barba áspera com as unhas sujas:

— O senhor não traz bagagem?!

Ignorei a pergunta. Arranquei-lhe a chave da mão e dirigi-me ao bangalô azul. Era, como todos os outros, acanhado e feio. Dentro dele apertavam-se uma cama de ferro, uma cadeira, uma televisão e um frigobar. Abri o frigobar. Estava vazio. Tentei ligar a televisão. Não funcionava. Despi a camisa, dobrei-a e coloquei-a sobre a cadeira. Descalcei os sapatos e as meias. Tirei as calças, estendi-me na cama e adormeci.

"Toda a mulher é um caminho." A frase ocorreu-me, enquanto nadava, como se a estivesse ouvindo de uma outra pessoa. Essa outra pessoa fez uma breve pausa, então prosseguiu. "Em toda a mulher há um princípio de mundo."

"Princípio de mundo, o diabo!", retorqui, dirigindo-me à pessoa que falava dentro de mim. "Toda a mulher é uma armadilha, isso sim."

Praguejar, mesmo em pensamento, mesmo enquanto nadamos, alivia o espírito. Vi alguma coisa a flutuar à minha direita. Era uma máquina fotográfica à prova d'água, amarelo-manga. A minha primeira reação, irritado, foi lançá-la para longe. A destruição dos oceanos entristece-me e revolta-me. Passei dois meses no *Rainbow Warrior* (tinha então vinte e quatro anos), pouco antes de a traineira do Greenpeace ser afundada pelos serviços secretos franceses no porto de Auckland, na Nova Zelândia. Nessa operação terrorista morreu um fotógrafo meu amigo, o português Fernando Fernandes. Fiquei muito abalado com aquilo e abandonei a militância ecologista, mas não o ideal.

Talvez a máquina ainda funcionasse. De qualquer forma o mínimo que eu poderia fazer era tirá-la da água. Prendi-a ao pulso direito, já que o objeto vinha equipado com uma pega, e recomecei a nadar, agora na direção da praia. Nessa noite, por mera curiosidade, retirei o cartão de memória da máquina, coloquei-o no computador e descarreguei as fotografias. O que encontrei assustou-me. Não podia ser e, no entanto, ali estava. Fiquei até as quatro da manhã a rever cada uma daquelas imagens, deslumbrado com a súbita revelação que me chegara de forma tão extraordinária, e a pensar no significado da mesma e nos misteriosos movimentos do mar e do destino.

2.

Imaginemos um anfiteatro. Uma sala descendo em direção a um palco de madeira escura, encerada, emoldurado por uma pesada cortina escarlate. Uma mulher, inteiramente nua, toca piano, enquanto em redor dela esvoaçam periquitos.

    Eu estou sentado, também nu, nas últimas filas, lá muito em cima, e acompanho o concerto com os olhos rasos de lágrimas. Não conheço a pianista, mas sei tudo sobre ela. Um velho, ao meu lado esquerdo, vestido com um luminoso uniforme de almirante, sopra-me ao ouvido:

    — Esta mulher é uma fraude!

    Contenho-me para não lhe bater. Nunca em toda a minha vida escutei música tão bonita. Além disso, sinto uma profunda admiração por aquela mulher. Sei que foi presa, torturada, sobreviveu a um tumor e a um marido cruel e violento, que a proibiu de seguir uma carreira musical. Após enviuvar, voltou ao piano. Fundou uma igreja neopagã, o Culto da Deusa, que aceita apenas mulheres. Nos concertos, costuma fazer-se acompanhar por animais, os periquitos que eu via ali, mas também cães e até lobos. Por vezes dispara tiros de pistola para o alto, com balas reais, o que irrita os proprietários das salas.

Um sonho. Acordei com ele na manhã do dia em que me divorciei. Voltei a lembrar-me de alguns fragmentos na manhã seguinte, enquanto nadava de regresso a terra, com a máquina fotográfica presa ao pulso direito. O palco escuro, a mulher nua, com os seios murchos, caídos sobre o ventre. Sonho muito com pessoas que nunca conheci. Sonho, por vezes, a vida inteira dessas pessoas, desde que nascem até a morte. No fim do concerto desci ao palco para cumprimentar a mulher. Ela abraçou-me com ternura. Disse-me:

— Tudo passa, amigo, o tempo cobre o mundo de ferrugem. Tudo o que brilha, tudo o que é lume, depressa será cinza e nada.

— Já quase tudo é cinza — retorqui. — Incendiaram o meu passado.

No momento em que despertei, o diálogo não fazia sentido. Ao final do dia, após regressar do tribunal, sim. Nos meus sonhos acontecem com frequência conversas como essa, implausíveis, misteriosas, rebuscadas, até ridículas. Mais tarde, todavia, ganham inesperada coerência. Por vezes sonho com versos soltos. Também sonho com entrevistas. Entrevistei Jonas Savimbi em quatro ocasiões: duas desperto e duas em sonhos. Entrevistei Muammar Kadhafi apenas em sonhos. Disse-me que os últimos dias haviam sido terríveis. Dormia em casas abandonadas, fugindo dos seus perseguidores, enquanto tentava alcançar a aldeia onde nascera. Aviões bombardearam a coluna em que seguia e ele viu-se forçado a sair do carro e a procurar refúgio num esgoto. Quando o entrevistei, Kadhafi estava dentro do esgoto, dobrado, encostado ao cimento, vestido com uma camisa cor de cáqui e com um gorro negro na cabeça. Na manhã seguinte acordei, liguei a televisão, e vi-o com a cabeça descoberta, o cabelo em desalinho, o rosto coberto de sangue e um ar estremunhado, espantado, tentando afastar com as mãos frágeis os duros socos que o atingiam. "Deus é grande! Deus é grande!", gritavam os seus assassinos. Tive pena dele. Tive ainda mais pena de Deus.

Nas entrevistas que fiz enquanto sonhava, os entrevistados mostraram-se muitas vezes mais autênticos, sobretudo mais lúcidos, do que estando eu em vigília. Outros, contudo, serviam-se de idiomas misteriosos dos quais só me restava adivinhar fragmentos. Julio Cortázar, por exemplo, um escritor com quem nem sequer tenho grande intimidade, apareceu-me sob a forma de um cedro enorme, muito velho, com um tronco torto e folhas encrespadas. Respondeu às minhas questões movendo nuvens no céu. As nuvens eram uma espécie de alfabeto, e o céu, uma página em branco. Lembro-me desse sonho porque, sentada numa cadeira de palha, à sombra de Cortázar, muito direita e muito alheia, estava a Mulher-dos-Cabelos-de-Algodão-Doce. A Mulher-dos-Cabelos-de-Algodão-Doce surgia com frequência nos meus sonhos. Uma mulher alta, elegante, vestida quase sempre de panos, à maneira das nossas bessanganas. O rosto, comprido, anguloso, interessante sem ser bonito, e uma quindumba muito alta e macia, cor de cobre. A Mulher-dos-Cabelos-de-Algodão-Doce esperou que Cortázar deixasse as nuvens sossegadas e então disse:

— Conheci um homem que foi sonhado pelo mar.

3.

《 31 de maio de 2016

Gosto de ficar sentado na varanda do meu bangalô, de madrugada, esperando o sol nascer. Hoje, estava ali, muito quieto, quando dei com o Daniel Benchimol, na praia, vestido com umas cuecas brancas. Achei um pouco estranho o mulato andar assim de cuecas num espaço público, ainda que não houvesse ninguém.

Entrou na água e afastou-se, nadando de bruços. Nadava a direito, determinado, como se não pretendesse retornar. Calculei que se conseguisse manter a mesma velocidade e a mesma rota chegaria ao Recife, no Brasil, em menos de cem dias.

O gajo esteve aqui, no hotel, em sete ocasiões, sempre sozinho. Fiquei um pouco surpreendido ao vê-lo chegar hoje, uma terça-feira, ainda por cima transportando apenas uma pequena pasta. Durante a semana, exceto em período de férias, aparecem poucos clientes. Daniel arrancou-me as chaves da mão, sem uma palavra, sem um simples gesto de agradecimento. Nas ocasiões anteriores fora sempre bem-educado. Meio distante, mas gentil. Alguma coisa o deve ter deixado indisposto.

Todos os clientes me interessam. Gosto do Tolentino, um velhote português, cabelo grisalho, barba branca, ainda rijo, em boa forma, e muitíssimo simpático, que muda de namorada a cada mês. Passa por mim sambando, pisca-me o olho: "O amor da minha vida", sopra, e a moça, abraçada a ele, sorri timidamente. São todas muito jovens, muito altas e delgadas e flexíveis.

Também me visitam com frequência um antigo ministro e a sua senhora, ambos gordos, ambos arrogantes. Reclamam porque falta papel higiênico, porque o ar-condicionado avariou, porque o quarto está cheio de mosquitos, porque o bife é muito rijo. O cozinheiro faz questão de cuspir na sopa deles. Finjo que não vejo, não digo nada, eu próprio tenho vontade de fazer o mesmo. Na verdade, já fiz.

Simpatizo com um casal ainda jovem, ele quase preto, ela branca à rasca, que parecem saídos de um filme dos anos 1950. O homem sempre muito bem-vestido, por vezes de casaco e gravata; a mulher com saias largas e alegres blusas.

Investigo o passado de toda a gente. Foi um vício que me ficou dos tempos antigos. Tolentino de Castro é advogado. Chegou a Angola nos anos 1960. Viveu primeiro em Benguela e depois em Luanda, onde se fez amigo do compositor Liceu Vieira Dias e de outras figuras importantes da vida cultural da cidade e do movimento nacionalista. Após a independência trabalhou muitos anos como consultor, no Ministério da Justiça, até abrir o seu próprio escritório. Hoje defende os interesses de algumas das maiores fortunas do país. Enriqueceu, porém manteve os hábitos humildes. Gasta boa parte do que ganha a financiar uma associação de apoio a meninos de rua. A filantropia dele estende-se às árvores. Há cerca de dez anos deu para comprar embondeiros ameaçados. Não compra as árvores, evidentemente, compra os terrenos onde elas crescem, e nos quais os antigos proprietários pretendiam construir habitações. Hoje, o Tolentino possui duas dezenas, ou mais, de pequenos terrenos, entalados entre edifícios pavorosos e cercados por altos muros. Lá dentro, embondeiros. Uma tarde levou-me a ver uma dessas árvores, um exemplar enorme, cujo tronco já começara a ser cortado quando ele a salvou. Pagou primeiro aos operários, para que parassem as máquinas. Só depois foi procurar o proprietário do terreno. Um homem podia deitar-se no interior do corte. Tolentino estendeu-se lá dentro para eu ver:

— Por vezes venho para aqui ao fim da tarde — disse-me.
— Deito-me e durmo.

Quis saber por que fazia aquilo.

— Por que durmo dentro do embondeiro?
— Não, por que gasta tanto dinheiro para salvar embondeiros. São apenas árvores.

Tolentino saiu de dentro do tronco. Sacudiu a roupa. Olhou para o embondeiro com ternura:

— Olhe bem para ele. É tão bonito, não é?

Tolentino também desbarata muito dinheiro com as jovens namoradas. Mas esse, a mim, parece-me um bom desbaratamento.

O antigo ministro chama-se Nzuzi Sincero da Maia, nasceu em Ponta Negra, no Congo, e foi enfermeiro no tempo colonial. Agostinho Neto apreciava a companhia dele. Nomeou-o ministro das Pescas, durante um breve período, e depois embaixador na Etiópia. É diabético, impotente, e não deve viver muito tempo. Sei isso porque falei com o médico dele.

O casal elegante tem uma história um pouco mais curiosa. Melquesideque nasceu em Luanda, mas abandonou Angola ainda bebê, nos braços da avó materna. Os pais foram fuzilados, em 1977, acusados de envolvimento numa suposta tentativa de golpe de Estado. O miúdo cresceu em Lisboa. Mais tarde mudou-se para Londres, para estudar medicina, e aí conheceu a mulher, Tukaiana, que estava a terminar um curso de fotografia. Logo se apaixonaram. Iam juntos para todo lado. Uma tarde, ao entrar no apartamento da namorada, o Melquesideque encontrou-a abraçada a uma almofada, na cama, chorando rios.

— Vai-te embora! — gritou a Tukaiana.

O rapaz se aproximou para a consolar:

— O que foi?

— Não te posso dizer. Nunca mais vais querer olhar para mim.

Contudo, disse-lhe: soubera nessa tarde que o pai, um homem alegre e simpático, de quem toda a gente gosta, proprietário de uma rede de pequenos hotéis espalhados por Angola, torturara e matara a mãe de Melquesideque, diante do marido. A seguir fuzilara o homem. Uma das primas contou-lhe a tragédia. Sentou-se diante dela, à mesa da cozinha, muito séria: "Há certas coisas que precisas saber sobre o teu pai, menina". E começou a falar. João da Gruta, assim se chamava o pai da Tukaiana, foi um dos fundadores da polícia política, logo após a independência. Era então um jovem alto, magro, com um rosto comprido, feições árabes e uma barba negra, densa e áspera, que lhe valera a alcunha de Cristo das Ingombotas.

Lembro-me desse Cristo das Ingombotas. Quero dizer, não me lembro dele fisicamente, nunca o vi a não ser em fotografias, mas recordo-me do terror que o nome inspirava. "Fulano passou pelas mãos do Cristo", diziam, e todos nós abríamos alas quando o tal fulano passava, e baixávamos os olhos, porque estava ali alguém que visitara o inferno e voltara e, é claro, já não era bem um homem, era uma espécie de sombra espantada que por vezes ainda sorria, ainda se ria, como se fosse um de nós.

Melquesideque escutou a namorada em silêncio. Por fim, ergueu-se e abandonou o apartamento sem fechar a porta. A Tukaiana não soube dele durante duas semanas. Uma manhã, ao sair do apartamento, encontrou-o sentado nas escadas. O rapaz pareceu-lhe frágil e, ao mesmo tempo, mais maduro. Levantou-se, estendeu-lhe um ramo de rosas, pediu--a em casamento.

Daniel despertou-me a curiosidade, logo no primeiro dia em que apareceu no hotel, por causa da profissão inscrita na ficha de entrada: jornalista. Só nesse momento liguei o nome à figura. Lembrei-me de uma das reportagens dele, a história mirabolante do extravio de um avião, um Boeing 727, do aeroporto de Luanda. O gajo tinha se especializado em desaparecimentos. Casos de pessoas, algumas muito conhecidas, que simplesmente evaporaram durante a guerra. Verbas públicas que esfumaram. Raptos de empresários estrangeiros. Notícias desse gênero. O governo nunca gostou muito dele.

Nasceu no Huambo, em 1960. O pai, Ernesto Benchimol, funcionário do Caminho de Ferro de Benguela, chegou a ser bastante famoso em Angola e até em Portugal, como futebolista. Jogou no Benfica. Após abandonar o futebol passou a dedicar-se à caça, à pesca, ao tiro desportivo e à natação. Durante muitos anos deu aulas de natação na piscina do Clube Ferrovia, após as horas do expediente. Daniel é o mais novo de três irmãos. Os três estudaram no mesmo colégio que eu, o Monte Olimpo, mas não me lembro de nenhum deles. Samuel e Júlio foram campeões de natação, realizando o sonho do velho. O caçula, pelo contrário, nunca demonstrou o menor talento para qualquer desporto. Muito menos para a caça. Falei com um português, Vasco Vai-com-Deus, que trabalhou mais de três décadas como zelador do Clube Ferrovia. Deve ter quase noventa anos. Está meio cego e só se movimenta, poucos metros de cada vez, com a ajuda de um andarilho. Coitado, fizeram-lhe uma laringectomia total. Tem um buraco no pescoço. Comunica-se por um aparelho, uma espécie de amplificador, que encosta ao buraco enquanto fala. A voz, tipo Robocop, diverte as crianças e assusta os adultos. Embora pouco se aproveite do corpo, após setenta anos de abuso de álcool e cigarros, a cabeça, essa, parece muitíssimo saudável. Sorriu quando lhe falei de Daniel:

— O miúdo nadava mal — assegurou-me, com aquela voz metálica. — Lembro-me dele ao fim da tarde, sempre encolhido a um canto da piscina, escanzelado, a tremer de frio. Era a vergonha da família.

Disse que o vi nadar – e que nada muito bem.

O velho sorriu. Um sorriso quase feliz:

— A sério? Pode ser. O mar ensinou-o.

Encontrei-o numa das visitas que fiz ao Huambo para rever uns vagos primos. Em determinada altura, Vasco Vai-com--Deus pousou os frágeis ossos da mão esquerda sobre a minha perna, ao mesmo tempo que, com a mão direita, levava o amplificador à garganta:

— Você sabe a história do leão? A história desse menino, desse seu cliente, com um filhote de leão? — perguntou.

Eu não sabia. Então ele me pediu um cigarro. Tentei resistir:

— O senhor não pode fumar. A sua esposa avisou-me que você me iria pedir-me cigarros. Proibiu-me de lhe dar ouvidos!

— Ora porra, homem! Dê-me lá um cigarro.

Espreitei por cima do ombro para me assegurar de que a mulher dele não nos vigiava. Era uma senhora ainda jovem, trinta e cinco anos no máximo, que me recebera à porta ajeitando um leve roupão. Espetou no meu peito um dedo duro, enquanto me advertia acerca da saúde do marido:

— O corno não pode fumar!

Tirei um cigarro do maço que trazia no bolso, acendi-o, e logo o velho, num gesto incrivelmente rápido, o arrancou dos meus dedos e o enfiou no buraco do pescoço. Vi-o a sorver o fumo enquanto o crepúsculo arremetia contra os eucaliptos com o furor de um temporal. Estávamos sentados no quintal da pequena casa onde ele mora. Em tempos houve um muro alguns metros adiante, ainda se distinguem as ruínas, um monte de tijolos no meio do capim muito verde, mas agora o quintal prolonga-se mato adentro, até um pequeno bosque de eucaliptos.

— Isto que lhe vou contar aconteceu semanas antes, ou semanas depois, da independência. — Vasco Vai-com-Deus tossiu, num demorado estertor. Depois acalmou-se, apagou o cigarro no chão de terra batida e continuou: — O meu irmão, Hermínio, trabalhava no Jardim Zoológico. A família desse menino, como se chamava o pai dele...?

— Ernesto. Ernesto Benchimol.

— Isso mesmo, Ernesto. Pois os Benchimol viviam muito perto daqui, a dois passos do Jardim Zoológico.

Na manhã seguinte fui visitar o Jardim Zoológico. Ou melhor, o que sobrou dele. Caminhei sozinho por entre o matagal. Encontrei a antiga jaula dos leões quase intacta, embora com as paredes furadas por balas e o chão de cimento todo rachado. Lá dentro, atrás das grades, havia um garoto vestido com umas bermudas cor de laranja. Estava sentado numa caixa de madeira, tinha os olhos fechados e assobiava. Surpreendi-me ao reconhecer a melodia: "Meu mundo é hoje", do Paulinho da Viola. Não gosto de música brasileira. Não gosto de nada que venha do Brasil. Odeio o Brasil. As exceções são o Paulinho da Viola e o Pelé. Vá lá, a Mangueira, torço pela Mangueira, nem sei bem por quê.

Enquanto vagueava pelas ruínas voltei a novembro de 1975, poucos dias antes da independência, ou poucos dias depois, tanto faz. Devia fazer calor, inclusive ali, no Jardim Zoológico, cercado por uma floresta de eucaliptos. Certa tarde, Vasco Vai-com-Deus recebeu um telefonema do irmão:

— Vamos ter de os matar — Hermínio disse isso e começou a chorar.

Vasco esperou que o irmão se acalmasse:

— Conheço um caçador, Ernesto Benchimol, estás a ver quem é? O mulato com pinta de galã de cinema que dá aulas de natação no Ferrovia. O tipo é caçador. Caçava leões, caçava elefantes, deve saber como se faz.

— Fala com o gajo. Eu não consigo mais suportar o sofrimento dos bichos.

No dia seguinte de manhã, Ernesto apareceu no Jardim Zoológico equipado a preceito. Levou os três filhos para o ajudarem. Não estava feliz:

— Um caçador não é um matador — explicou aos filhos. — Caçar é um jogo entre o caçador e a presa. Tem de ser jogado em liberdade. O que nós vamos fazer ao Jardim Zoológico é outra coisa, um serviço humanitário, vamos matar aqueles bichos porque eles estão a sofrer.

— Não podíamos antes levar-lhes comida? — perguntou Daniel. Os irmãos mais velhos troçaram dele. O pai irritou-se. — E o que lhes vamos dar de comer, não me dizes?

Daniel calou-se. Tinha quinze anos e já era tão alto quanto os irmãos. Mais alto do que Ernesto. Colocou a caçadeira às costas e seguiu a família. Vasco e Hermínio nos esperavam. Foram ver o elefante. O animal, que se chamava Jamba, vivia numa espécie de ilhota cercada por um fosso. Nos bons velhos tempos, as pessoas ofereciam-lhe ginguba e Jamba agradecia a gentileza tocando uma campainha. Jamba estava estendido de lado, magro e seco como um cabide, com a tromba coberta de moscas. Agitou-a vagamente, ao vê-los chegar, e as moscas voaram. Um enxame escuro como um mau presságio. O caçador colocou uma tábua sobre o fosso e passou para o outro lado. Acariciou a orelha de Jamba, encostou o cano da caçadeira à cabeça dele, um pouco acima do olho, um globo líquido, redondo e iluminado como um berlinde, e disparou. Daniel soltou um grito, os olhos cheios de lágrimas. O irmão do meio, Júlio, disse-lhe qualquer coisa, com um sorriso cínico, mas Samuel, o mais velho, calou-o. Mataram depois o crocodilo, as hienas, as avestruzes e as girafas.

— Os macacos? — perguntou Ernesto. — Onde estão os macacos?

— Os macacos, alguém os soltou — disse Hermínio. — Andam por aí, nos eucaliptos, aos gritos, loucos de fome. Demos as pacaças aos leões para eles comerem. As pacaças, os antílopes e os facocheros.

Daniel adiantou-se:

— Então agora podem dar-lhes a carne do elefante, das girafas e das avestruzes. Não é necessário matá-los.

Hermínio sentiu pena dele:

— Vai ter de ser, miúdo. A mim, o que me custa mais é o leãozinho.

Dois meses antes, a leoa dera à luz dois filhotes, mas um deles morrera horas depois. O sobrevivente nascera cego do olho esquerdo e por isso passaram a chamar-lhe Moshe Dayan.

— Vou contar até três — disse Ernesto. — Ao três disparamos. Vocês ficam com a fêmea, eu com o macho. Apontem à cabeça.

Contou até três e disparou. O leão caiu. Os rapazes, talvez porque estivessem nervosos, tiveram menos sorte. A leoa deu um salto, esmagando a cabeça contra as grades, num rugido terrível. Ernesto voltou a arma contra ela, num gesto instintivo,

atirou e matou-a. Hermínio foi buscar Moshe Dayan. Tinham-
-no colocado numa outra jaula para não assistir ao assassinato
dos pais.

Daniel abraçou o bicho:

— Matem-me! — gritou. — Vão ter de me matar primeiro
a mim!

— Não o devíamos ter trazido — comentou Ernesto, sem
esconder o desgosto. — Este garoto só nos arranja problemas.

Samuel, que era muito paciente, tentou convencer o irmão
a soltar Moshe Dayan. A Ernesto, porém, aquilo parecia uma
birra de menina.

— Deixa-o! — ordenou a Samuel. — Agora é ele quem vai
matar o bicho.

Daniel começou a chorar:

— Prefiro matar-me a mim.

— E eu prefiro ter um filho morto a ter um filho maricas.
Mata o bicho!

Então, Daniel se levantou. Agarrou na caçadeira e colocou
o cano sob o queixo:

— Se alguém se mexer eu disparo!

O pai só riu:

— Disparas como, filho? É verdade que tens os braços
compridos, mas nem tu, nessa posição, consegues chegar ao
gatilho. Nunca entendi como diabo o Hemingway conseguiu
se suicidar com a merda de uma caçadeira.

Tinha razão. Daniel segurava o cano com ambas as mãos.
Não era possível manter a arma firme, sob o queixo, e ao mesmo tempo alcançar o gatilho e disparar.

— Larga a arma! — intimou Ernesto, muito calmo. — Levas
o filhote para casa e tratas dele. Acabará por morrer de fome,
coitado, sofrerá muito mais do que se o matássemos agora,
mas a escolha foi tua.

Foi assim que Daniel levou para casa um filhote de leão. Vendeu a bicicleta e com o dinheiro comprou as últimas latas de leite em pó que havia na cidade. Durante as primeiras semanas deu-lhe o leite, primeiro de biberão e depois numa tigela. Começou a caçar os gatos da vizinhança, o que fazia com grande mágoa, porque, ao contrário dos irmãos, tinha um amor enorme por todas as formas de vida. Júlio e Samuel costumavam apanhar rãs no rio, de noite, encadeando-as com uma lanterna. Traziam-nas depois para casa, guardavam-nas num balde grande e, na manhã seguinte, alinhavam-nas contra uma parede e fuzilavam-nas com espingardas de pressão. Muitas vezes Daniel ia de noite, às escondidas de todos, devolver as rãs ao rio. Quando se acabaram os gatos, o rapaz lembrou-se de todas as rãs que, durante anos, salvara de uma morte cruel e foi procurá-las à lama. O leãozinho, contudo, recusou-se a comer aquela carne furtiva, mesmo depois de cozida e bem temperada, com sal, jindungo e limão.

A maioria dos portugueses fugira. Milhares de belas vivendas permaneciam fechadas, com grossas correntes de ferro e cadeados a prender os portões. Daniel convenceu o melhor amigo, o Gato, um rapaz muito gordo, filho de um enfermeiro, a assaltar as casas. Transpor os muros era fácil, ao menos para Daniel; o Gato nem sempre conseguia. A seguir quebravam uma vidraça à pedrada e entravam. Algumas das casas estavam perfeitamente arrumadas, as camas feitas, o soalho encerado, como se os donos tivessem saído para umas breves férias. Noutras, era o caos completo. Numa, deram com cacos de vidro espalhados pelos quartos e corredores. Na seguinte encontraram uma armadilha rudimentar, com uma granada presa a um arame, que só não funcionou porque o Gato, que ganhara a alcunha graças ao olhar apurado e a um misterioso instinto de predador noturno, percebeu um brilho estranho a meio do corredor e travou a tempo. Na parede em frente o proprietário da casa deixara uma mensagem a tinta vermelha: "Morram, comunistas!".

— Cabrões dos brancos! — queixou-se o Gato. — Andaram a nos roubar durante quinhentos anos e, mesmo depois de bazarem, corridos a tiro e à chapada, ainda nos querem matar.

Sei isso tudo porque, além de conversar longamente com Vasco Vai-com-Deus, também conversei com o Gato, aliás, Estêvão Chindandala, um homem enormíssimo, que se fosse um veículo motorizado seria um camião, como ele mesmo me disse, rindo em gargalhadas tão altas e tão frescas que era como se lhe saltassem pela boca cascatas de água e luz. Não o disse, contudo, por ser gordo, mas porque gosta de caminhões. É o feliz proprietário de uma empresa de camionagem. Nunca deixou o Huambo. Conversamos no escritório da empresa, um espaço exíguo e baixo, ou que talvez me tivesse parecido apertado apenas porque o imenso Estêvão o ocupava por inteiro com o corpo enorme e a voz poderosa.

Daniel, contou-me o imenso Estêvão, trazia das incursões noturnas todo o tipo de objetos, desde relógios a máquinas fotográficas, que depois tentava trocar por carne, para alimentar o estômago insaciável de Moshe Dayan. Fez um acordo com um açougueiro, um homem chamado Robert Wiliams, nome esse copiado do milionário inglês que construiu o Caminho de Ferro de Benguela. Os portugueses deram à Caála o nome do milionário. Depois da independência, a vila recuperou o topônimo africano. O açougueiro, esse continuou a chamar-se Robert Williams e hoje já ninguém liga o nome dele à vila. Robert trocava os produtos roubados, e digo roubados mas nem me parece a palavra adequada, a gente naquela altura usava o eufemismo "recuperados". A bem dizer, nem roubados nem recuperados, antes abandonados. Então Robert trocava esses produtos por dois ou três quilos de carne que Moshe Dayan engolia com sofreguidão.

Uma noite aconteceu o inevitável. Ao regressar a casa, Daniel encontrou o pai com um cinto na mão. Não teve tempo para dizer nada. Ernesto desatou a bater-lhe com o cinto, em golpes raivosos, enquanto gritava que na família não havia lugar para ladrões. Os irmãos tentaram intervir, sem sucesso, até que dona Angelina se abraçou ao filho, chorando, e desmaiou. Tiveram de a levar para o hospital, onde passou a noite.

Na manhã seguinte, o Daniel não encontrou Moshe Dayan.

— O pai levou o teu leão — murmurou Júlio.

Daniel nunca mais soube do leãozinho. Anos mais tarde, quando Ernesto estava a morrer, o filho pegou-lhe na mão e perguntou-lhe o que fizera a Moshe Dayan. O velho virou para ele uns olhos espantados:

— Não me lembro! — disse num sopro. Fechou os olhos. — Agora já só me lembro do mar. »

4.

O Hotel Arco-Íris tem um restaurante debruçado sobre a praia. Há sete mesas de madeira, dispostas sobre uma espécie de palco, cada uma delas protegida do sol por uma larga sombrinha. As sombrinhas são todas de uma cor diferente – vermelho, laranja, amarelo, verde, azul, índigo e violeta. O restaurante estava vazio, de forma que escolhi a mesa mais próxima do mar, sob a sombrinha azul. Chamei um dos empregados e pedi uma cuca e um frango no churrasco. O homem afastou-se. Regressou momentos depois, com a cerveja. O frango iria demorar um pouco, desculpou-se, exibindo um belo sorriso. Agradeci-lhe a sinceridade. Nos dias que correm a sinceridade é uma qualidade rara entre os empregados de restaurantes. Os empregados de restaurantes parecem-se cada vez mais com políticos. O cliente pergunta, por exemplo, se o peixe é fresco e em vez de nos dizer logo que não, que é congelado, o empregado elogia o molho de manteiga. Enfim, servi-me da cerveja, alonguei os olhos pela praia e dispus-me a esperar. Hossi Apolónio Kaley aproximou-se, fumando um charuto:

— Posso fazer-lhe companhia?

Concordei, um pouco surpreso. O proprietário do Hotel Arco-Íris sentou-se diante de mim. Olhou-me atentamente, como se eu fosse um artefato antigo exposto num museu:

— Tenho lido os seus artigos. O que faz um jornalista em Cabo Ledo a uma terça-feira?

— Os jornalistas também precisam descansar. Muitas vezes durante os dias úteis.

— Amanhã festejamos a nossa independência, é feriado. Podia ter vindo amanhã.

— Nem me lembrei. Era hoje que precisava descansar. Mas fico mais um dia. Aproveito o feriado.

— Não vai festejar a independência?

— Não há muito para festejar...

— Acha que não? Eu não combati pela independência, era demasiado novo, mas se tivesse idade teria combatido. Combati depois...

— Você foi militar?

— Fui. Do lado da guerrilha...

— Você foi guerrilheiro da Unita?!

— Sim. Atravessei o inferno.

— Lamento...

— Não lamente: o cão que sabe matar também tem de saber carregar o que matou.

— Entenda, eu não acredito que a violência possa ser libertadora. Portanto, não acredito em guerras de libertação. Todas as guerras nos aprisionam. Aquilo a que você chama guerra de libertação está na origem da guerra civil.

— Como assim?

— Como assim?! Havia três movimentos de libertação antes da independência, não era? E já se combatiam uns aos outros. Matavam-se uns aos outros.

— Acredita que os portugueses teriam partido sem ser à força?

— Sim. Acredito que podíamos ter conseguido a independência por meios pacíficos. O que se alcança com a violência permanece envenenado pela violência. Veja o que aconteceu a seguir.

— Os portugueses partiram, voltaram para a terra deles, foi o que aconteceu a seguir. Agora somos independentes.

— Sim, o colonialismo português acabou, mas não ficamos mais livres nem mais em paz.

— Talvez não. Em todo o caso eu prefiro ser mandado por um preto do que por um branco ou por um mulato, amigo, sem ofensa.

Um empregado aproximou-se com uma travessa. Serviu-me o frango e as batatas fritas. Voltei-me para Hossi:

— Faz-me companhia?

— Não, muito obrigado. Não como carne.

— Não come carne?!

— Não. Sou vegetariano.

— Vegetariano? A sério? A minha filha também é vegetariana.

— Parece admirado. Acha estranho?

— Um pouco. Em Angola não há assim tantos vegetarianos.

— Hitler era vegetariano. Gandhi também era vegetariano. Eu não sou nem Hitler nem Gandhi e, como eles, não como carne.

— Por que não come carne?

— Por que é que a sua filha não come carne?

— Por questões éticas, suponho. Provavelmente também por questões de saúde.

— E Hitler?

— Não sei. Por questões de saúde?

— Por questões de saúde também. Mas não só. Ele gostava de animais. O regime nazi criou diversas leis para a proteção dos animais. Hitler queria acabar com os matadouros e com o consumo de carne.

— Não sabia.

— Não, claro que não sabia. As pessoas preferem não saber. É difícil admitir que um homem que fez tanto mal à humanidade fosse sensível ao sofrimento dos animais. É fácil aceitar que Gandhi, um santo, fosse vegetariano e gostasse de animais. Mas custa-nos que Hitler não fosse completamente mau. Diga-me, o que você sabe da morte?

— Da morte? "Morrer é só não ser visto", dizia o Fernando Pessoa.

— Só não ser visto? Esse "só" está a mais na frase. Morrer é não ser visto, e isso parece-me uma coisa terrível.

— Sim. Tem razão.

— Você não sabe nada, não é? Você não sabe nada, nem da morte nem da maldade!

— Mais uma vez tem razão. A minha ignorância é ilimitada. Quanto mais envelheço, mais ela tende a expandir-se. E sobre a morte? Sobre a morte sei ainda menos. Nunca matei ninguém.

Hossi olhou-me com desprezo:

— Você acha que alguém fica a saber o que é o fogo apenas por acender uma fogueira? Matar não é o mesmo que morrer.

Sorri:

— Quer dizer então que o senhor não só já matou como também já morreu?

O hoteleiro sacudiu a cabeça, com uma expressão de sincera perplexidade. A voz, naturalmente áspera, tornou-se quase doce:

— Sim. Morri duas vezes, mas só quero falar-lhe da segunda.

5.

Na tarde em que Hossi Apolónio Kaley morreu pela segunda vez, dois anos antes de terminar a guerra, eu procurava num quintal do Huambo memórias de mim mesmo. À frente da casa onde nasci e vivi toda a infância e adolescência abria-se, como nos tempos antigos, um horizonte imenso. O sol continuava a deitar-se sobre o capinzal, uma bola enorme, redonda e vermelha, e logo depois a noite caía. O menino que eu fui gostava de ficar estendido de costas num dos ramos mais altos do abacateiro, enquanto o firmamento se abria, lá em cima, deixando ver milhões de estrelas em movimento, como pirilampos relampejando num poço.

 O abacateiro ainda lá estava. Tinham derrubado as nespereiras e goiabeiras, cortado todas as pitangueiras. Só o abacateiro continuava no mesmo lugar, apenas um pouco mais alto e com o tronco muito maltratado. O quintal fora transformado num parque de estacionamento. A casa, meio arruinada, coberta por um pó de décadas, cor de ferrugem, abrigava um Centro de Recrutamento Militar. O escritório do meu pai passara a ser uma tesouraria. As estantes, presas às paredes, eram as mesmas, mas estavam cheias de dossiês. Ernesto Benchimol teve uma boa biblioteca. Lembro-me das enciclopédias. Havia várias coleções, algumas compostas por dezenas de volumes, como a *Enciclopédia luso-brasileira*. O meu pai apreciava sobretudo a *Lello universal*, em dois volumes. Tudo isso desaparecera. Tudo não. Descobri, a um canto, muito maltratado, um raro exemplar do segundo tomo da *Grande enciclopédia dos mundos*. Agarrei-me ao volume, comovido, e limpei-o com a parte de baixo da camisa. Um funcionário que dormitava à mesa com a cabeça entre as mãos estranhou a atitude:

— O que está a fazer com o livro?

— É meu! — rosnei. — Vou levá-lo.

O homem ergueu-se, ameaçador:

— Não vai, não!

Era a hora do almoço. Estávamos sozinhos. Os gritos acabariam atraindo mais gente. Enfiei a mão no bolso das calças e tirei uma nota grande.

— Tome. Eu levo o livro.

O homem aceitou a nota. Encolheu os ombros:

— É verdade que você foi nascido nesta casa?

— Sim, nasci nela. Eu e os meus dois irmãos.

Não era verdade. Nascemos todos na clínica do Caminho de Ferro de Benguela. Crescemos naquela casa.

— Leve lá o livro, então. — disse o funcionário. — Ele é mesmo seu.

Lembrei-me do episódio após a conversa com Hossi Apolónio Kaley. De regresso ao bangalô azul, ainda aturdido pela história que acabara de ouvir, liguei o computador e consultei o meu diário. Iniciei-o há mais de vinte anos, porque me atormentava a ideia de acabar como o meu pai. O velho Ernesto começou a perder a memória logo após sair do Huambo. O processo foi rápido. O passado apagou-se da frente para trás. Primeiro, não conseguia recordar-se do que fizera na semana anterior. A seguir, do que acontecera cinco ou seis anos antes.

Finalmente, só lhe restava uma ou outra imagem da alegre meninice, em Benguela, nos remotos anos 1930 do século passado. Eu estava com ele quando morreu:

— O mar — murmurou. — Já só me lembro do mar.

Consultei o diário para tentar perceber o que ia pelo mundo no dia em que Hossi Apolónio Kaley morreu pela segunda vez:

> Fui ver a casa. Havia um menino, no descampado em frente, a levantar um papagaio de papel. Não encontrei as pitangueiras nem a goiabeira, mas o abacateiro ainda lá está. Conheci ao jantar – jantava no mesmo restaurante, na mesa ao lado da minha – o delegado da Lusa. Disse-me que o Blondin Beye morreu hoje num acidente de avião, na Costa do Marfim. É uma estranha e infeliz coincidência o desaparecimento do medianeiro do processo de paz acontecer numa altura em que toda a gente se prepara para a guerra. Quanto a mim é mais um sinal, entre tantos, de que este país está à beira de uma terrível convulsão. O tipo da Lusa disse-me também que esteve no Andulo; o branco responsável pela manutenção da pista contou-lhe que um ÓVNI, com quatrocentos metros de diâmetro, flutuou algum tempo por ali, ao fim da tarde, pouco antes da tempestade.

Hossi viu alguma coisa inexplicável a flutuar sobre o Andulo. É a última lembrança. Não consegue recordar-se do que aconteceu nos dias seguintes ao acidente. Até hoje não sabe ao certo quantas memórias perdeu. Não sabe quanto dele se perdeu juntamente com essas memórias.

— Perder memórias não é o mesmo que perder um braço — disse-me. —Quando perdemos um braço sabemos que perdemos um braço. As pessoas olham para nós e sabem que perdemos um braço. Com as memórias, não. Não sabemos que as perdemos, ninguém dá conta, mas, como as perdemos, alguma coisa no nosso espírito deixa de funcionar. Sabe, às vezes aparecem criaturas aqui que me conhecem. Eu não me lembro delas. Finjo que me lembro, por cortesia ou para não ter de dar grandes explicações, mas não faço a menor ideia. É gente saída desses dias que eu perdi, talvez semanas, talvez meses, talvez anos, desses buracos enormes na minha memória.

Hossi viu alguma coisa a flutuar sobre a pequena cidade. Estava acocorado, debaixo da chuva, no telhado de casa, tentando consertar uma antena, quando um estranho esplendor azulado iluminou a noite. Ergueu-se, trêmulo de espanto, enquanto algo semelhante ao ventre de uma enorme baleia-azul furava as nuvens e deslizava sem ruído sobre a sua cabeça. A baleia-azul desapareceu, a noite voltou a fechar-se, e ele ainda ali, de pé, com o braço apontado em direção ao mistério. Foi então que começou a trovejar. O primeiro raio atingiu-o em cheio, e Hossi caiu morto.

— Acordei num lugar onde os rios não correm. Estão parados — tentou explicar. A voz tremia-lhe. Aproximei a cadeira para o ouvir melhor. — As borboletas flutuam, imóveis, sobre as águas dos rios. Ali, naquele lugar, ninguém envelhece. A minha avó estava comigo e ria. Não sei quanto tempo estive morto. Depois fui atingido por um segundo raio e despertei. Voltei à vida.

Ri-me:

— Caramba, mais-velho! Assim também não! O primeiro raio ainda vá. Até acredito. Esse lugar sem tempo, também acredito. Mas um segundo raio?! E o segundo raio lhe devolveu a vida...?!

Hossi lançou-me um olhar colérico. Ergueu-se e despiu a camisa. Uma cicatriz, como um relâmpago negro, descia-lhe do pescoço até a barriga, desdobrando-se e florindo em mil precisos e delicados clarões.

Era horrível. Era belíssima.

A seguir voltou-se e eu vi que tinha nas costas uma cicatriz semelhante, ainda mais frondosa e mais detalhada do que a primeira, como uma tatuagem desenhada por um artista genial.

— É como se aqueles dois relâmpagos se tivessem agarrado a mim para sempre. Como se a cada instante deflagrassem na minha pele.

Pousei os talheres, agoniado. Maravilhado:

— Desculpe. Não sei o que dizer.

Na tarde seguinte, ao regressar a casa, fui à procura do segundo tomo da *Grande enciclopédia dos mundos*. Guardava o livro na estante das raridades juntamente com os quatro preciosos álbuns de fotografias sobre Angola, de Cunha e Moraes, de 1885 e 1886. Abri-o ao acaso, como faço sempre quando quero passear o espírito. Li a história de um anão cubano, El Negro Juan, que teria acompanhado durante alguns anos o famoso construtor de autômatos Wolfgang von Kemplen nas suas digressões. Juan ficava escondido dentro de uma máquina de jogar xadrez, conhecida como O Turco, enfrentando adversários atônitos.

Voltei a abrir o livro ao acaso:

NEIPPERG, Sara. Pianista e mística brasileira, n. em Porto Alegre em 1866, m. em Roma em 1963. Aos seis anos foi viver para Paris, com os pais. Aprendeu a tocar piano sozinha e aos doze anos já se apresentava em concertos públicos. Aos dezesseis casou com um rico comerciante armênio que a impediu de prosseguir carreira como pianista. Após a morte do marido, em 1904, voltou a realizar concertos, interpretando peças suas e de compositores vanguardistas, como Erik Satie, de quem terá sido amiga. Nos seus concertos recorria a animais amestrados, incluindo lobos, incorporando os latidos e os uivos dos animais aos sons da orquestra. Em determinada altura levou para o palco um rebanho de ovelhas. Foi presa e torturada pelas tropas nazistas, quando da ocupação da França, por suspeita de manter ligações à Resistência. Depois do fim da guerra fundou uma sociedade secreta neopanteísta, só para mulheres, chamada O Segredo.

Fechei o livro. Devo ter lido aquilo há muito tempo, em criança. A informação ficou guardada em alguma gaveta abandonada do meu cérebro, anos a fio, até regressar sob a forma fantasiosa de um sonho. Foi o que pensei. Parecia-me a explicação mais sensata.

6.

A figueira contorcia-se na tarde, como se o vento lhe fizesse cócegas. Gostei logo dela. A árvore gargalhava debruçada sobre o muro. Um corvo, ou talvez não fosse um corvo, era, em todo o caso, uma ave maciça e escura como um corvo, caiu de entre as folhas e olhou para mim como um corvo olharia a curiosa figura de um homem – depois ladrou. Surgiram outros pássaros idênticos. Cercaram-me rosnando. A figueira já não ria. Agora enrolava-se, ameaçadora, como um polvo prestes a atacar.

Compreendi que sonhava. Não era real o vento varrendo o pátio. Não era real o pátio nem a figueira que me ameaçava, muito menos a ruidosa alcateia de corvos. Fiz um esforço para acordar. "Acorda!", ordenei para mim mesmo. "Abre os olhos. Mexe um braço." Não conseguia. Uma enorme angústia pesava-me sobre o peito. Escutei uma voz atrás da figueira:

— Sim, estás a dormir. Deixa-te ir. Lutar contra um sonho é como lutar contra a correnteza de um rio. Deixa-te ir. — A Mulher-dos-Cabelos-de-Algodão-Doce saiu de trás da figueira. Caminhava com os belos pés nus, afundando-se na terra encharcada. — Deixa-te ir. Um sonho é apenas um sonho e em algum lado acordarás.

Reparei nas mãos dela, reparei nos dedos longos, de unhas pintadas de azul, tecendo lentas figuras no ar, enquanto falava, e pensei nas flautas dos encantadores de serpentes. Nesse momento, um dos corvos transformou-se em Hossi Apolónio Kaley, embora mantendo a forma física de um corvo. Era Hossi na figura de um corvo. Fixou em mim uns olhos severos:

— Sonhos são artefatos delicados — murmurou. — A maioria esfarela-se à luz como a pele dos vampiros, e depois nem cinzas. Poucas pessoas sabem sonhar. Você tem vocação, mas falta-lhe prática.

— Prática?!

— Exercite-se a sonhar. Acredite nos seus sonhos. Agora acorde, homem!

— Não, ainda não. Fale-me da morte.

— Como...?!

— Você disse-me que morreu duas vezes. A segunda vez que morreu acordou num lugar sem tempo...

— Sim. O tempo é uma mentira, mas é uma mentira necessária. A morte também. Acorde, acorde, acorde! Se não acordar perderá esse sonho e não haverá mais nenhum essa noite.

Acordei. Ergui-me a custo e fui até a janela. Lá fora chovia. Uma água pesada batia contra os vidros frios. A escuridão atravessava a rua e rodopiava por entre as barracas dos miseráveis que haviam sido desalojados para a construção de novos condomínios de luxo. Um velho estava sentado numa pedra e olhava na minha direção. Costumava vê-lo ali. Pensei em falar com ele. Em vez disso sentei-me à mesa, liguei o laptop e tomei nota do sonho. A seguir abri a pasta onde guardara as fotos da máquina salva das águas. Lá estava ela, a mulher dos meus sonhos, a Mulher-dos-Cabelos-de-Algodão-Doce, olhando para mim. Eram imagens estranhas, que produziam na alma um efeito semelhante ao que um grão de areia dentro de um sapato produz num pé sensível. A um olhar distraído poderiam parecer paisagens ingênuas. Depois, observando mais atentamente, percebia-se que o capinzal, atrás do rio, não podia ser real. A mulher (a mulher dos meus sonhos) de pé, nua, no canto inferior esquerdo, não projetava sombra alguma sobre a areia. Os pássaros atravessavam o céu com os olhos fechados, como se estivessem mortos ou adormecidos.

Sonhei com os corvos numa quinta-feira. No sábado seguinte regressei a Cabo Ledo. Hossi não pareceu surpreso ao ver-me:

— Fica no azul?

— Como?

— No bangalô azul?

— Sim, sim, no azul. Sabe, sonhei consigo.

O hoteleiro não escondeu o susto:

— Sonhou comigo?!

— Desculpe. Não é o que está a pensar...

Nesse momento entrou um casal de portugueses. A mulher era alta, de cabelos longos, loiros, de uma palidez sem vida, a condizer com a voz:

— Tem quartos?

Hossi entregou-me a chave:

— Converso consigo ao almoço.

Afastei-me consternado. Nas duas horas que demorara até ali, ao volante do meu carro, imaginara muitas formas de abordar o hoteleiro. Nenhuma se parecia com aquela. Tentei ler um livro, mas não conseguia prestar atenção às páginas. Tomei uma ducha, vesti-me e dirigi-me ao restaurante. O hotel estava cheio. Consegui uma mesa debaixo do toldo amarelo, a um canto, sem vista para a praia. Pedi uma garoupa grelhada.

— Vai demorar — preveniu o empregado.

— Tudo bem. Traga a cerveja.

Ia na terceira garrafa quando Hossi apareceu. Sentou-se à minha frente, suado, a barba em desalinho.

— Desculpe. Hoje temos muito movimento. Estava a dizer-me que sonhou comigo...

Atrapalhei-me:

— Sim, sei que deve parecer um pouco estranho.

— Eu vestia um casaco roxo?

— Um casaco roxo?!

— Não?

— Não!

— Ainda bem. Fico mais sossegado. Houve um tempo em que as pessoas sonhavam comigo. Mas acontecia apenas quando eu estava por perto. Eu costumava aparecer nos sonhos delas vestido com um casaco roxo.

— Não compreendo...

Hossi recostou-se na cadeira.

— As pessoas sonhavam comigo quando eu estava por perto. Os sonhos, ah, os sonhos! Uma amiga disse-me uma vez que sonhar é o mesmo que viver, mas sem a grande mentira que é a vida. Talvez seja isso. Talvez seja o contrário disso. Nem sei. Acontece-me, por vezes, acreditar numa determinada ideia e no oposto dela com idêntica paixão, ou sem paixão nenhuma. Nos últimos anos, aliás, venho perdendo cabelos e paixão. Também venho perdendo ideias e ideais. Talvez seja a velhice, talvez seja o nirvana. O que você acha?

7.

《 Sábado, 20 de junho de 1998

Finalmente volto a escrever neste diário. Fui atingido por dois raios, um dos quais me matou, e o outro me devolveu à vida, e fiquei paralisado. Piscava os olhos, falava, mas era incapaz de mover um único músculo do pescoço para baixo. Estou agora numa clínica, em Havana, Cuba.

Há poucos dias assisti na televisão a uma reportagem sobre uma família que foi fulminada por um raio. Uma testemunha, um pescador, contou ter visto um clarão enorme deflagrando sobre dois guarda-sóis. As pessoas que se haviam abrigado debaixo deles caíram no chão, tipo pétalas de flor se abrindo, uma para cada lado, contou o pescador. É assim que eu imagino que aconteceu comigo. Caí no chão como a pétala de uma flor.

A direção do movimento decidiu mandar-me para a África do Sul. Fui numa coluna militar, em direção ao Andulo. Ali deveria embarcar numa avioneta com destino a uma minúscula pista clandestina, na Zâmbia, de lá seguiria para Lusaka e depois, finalmente, para Joanesburgo. Sofremos uma emboscada a poucos quilômetros do nosso destino.

O que me lembro do ataque:

O ar quente. Uma águia parada, lá muito em cima, como se estivesse presa por um alfinete numa cartolina azul. Então o jipe que seguia à nossa frente ergueu-se, como se fosse feito de papelão e lhe tivesse batido um súbito golpe de vento. Houve uma espécie de vazio, que o puxou para a frente, e no instante seguinte a explosão. Tiros. Gritos. A morte dançando e gritando à minha volta e eu ali, aparafusado ao assento, sem me conseguir mover.

Não me lembro de tudo o que aconteceu. Ao anoitecer, no Huambo, um rapaz da inteligência militar reconheceu-me. No dia seguinte mandaram-me para Luanda. Fui tratado como um príncipe. Fizeram-me promessas, ofereceram-me cargos e dinheiro. Nem se aperceberam de que eu daria de graça tudo o que queriam. Odeio o Savimbi. Espero que morra de uma morte cruel. Nunca falei sobre isso com ninguém. Nunca escrevi nada parecido neste diário. Tinha medo de que a polícia do movimento o lesse. Não tenho mais. Perdi dois filhos. Perdi a minha esposa. Há muito tempo que deixei de acreditar na guerra. Portanto, cheguei a um acordo, disse-lhes tudo de que me lembrava. A minha memória estava, ainda está, cheia de buracos, igual à estrada da Canjala. Ao princípio suspeitaram de mim, achavam que me fazia de esquecido para os enganar. Fiquei três meses no hospital militar. Recuperei-me da paralisia, os ferimentos cicatrizaram, mas a memória não voltou. Finalmente, mandaram-me para aqui, uma clínica especializada em traumas de guerra. Estou bem. É tudo muito limpo, muito tranquilo.

Domingo, 21 de junho de 1998

O poeta David Mestre morreu na semana passada. Quem me deu a notícia foi um general angolano chamado Amável

Guerreiro, um mulato de Calulo, que está a tratar-se de um surto esquizofrênico (escuta vozes). David Mestre morreu em Portugal, zangado com o regime. Almocei com ele em Luanda, em 1994, pouco antes das eleições. Ofereceu-me um livro autografado: "Para um *kwacha* (quase) arrependido". Não sei como ele se deu conta das minhas dúvidas. Tenho um certo medo dos poetas. Os bons são uma espécie de adivinhos.

Segunda-feira, 22 de junho de 1998

Ontem veio falar comigo uma psicóloga ainda jovem, bonita, muito pálida, a quem toda a gente chama Floco de Neve. Não sei o verdadeiro nome dela.

— Conte-me a sua vida — pediu-me.

É tão linda, tem um tal brilho nos olhos, que eu comecei a falar. Contei-lhe do que me lembrava. Alistei-me aos dezessete anos nas tropas do Galo Negro, lá, no começo de tudo, na terrível infância da pátria. Nos primeiros meses, disse-lhe, nos primeiros meses foi uma festa, toda a gente queria lutar. Já então nos matávamos uns aos outros, já então nos matávamos, mas sabíamos por que nos matávamos. Acreditávamos naquilo. De um lado os comunistas, do outro nós, que lutávamos pela democracia e contra os russos e os cubanos.

Floco de Neve corrigiu-me:

— Não, camarada, de um lado vocês, os fantoches do imperialismo, apoiados pelos racistas sul-africanos, do outro lado os camaradas socialistas e os internacionalistas proletários.

Não percebi se ela brincava comigo ou se acreditava mesmo no que dizia. Concordei. Para mim dá no mesmo. A guerra durou demasiado tempo. A partir de certa altura deixamos de saber por que nos matávamos. A gente matava-se era por hábito. Alguns, por vício. Sim, muitos tomaram gosto em fazer tiros. Mergulhavam no meio das balas às gargalhadas, como quem salta de um penhasco para o mar revolto, como quem aposta tudo num jogo de pôquer, como quem se declara à mulher mais bela do mundo. A mim colocaram na inteligência militar. Uma das minhas funções era interrogar prisioneiros. Certa ocasião trouxeram-me um homem muito assustado, com a cara desfeita à porrada. Levei algum tempo para o reconhecer. O Brinca-na-Areia, era esse o nome que lhe dávamos, mas creio que se chamava Abel. Havíamos crescido juntos. Éramos ambos filhos de maquinistas. O Bairro dos Maquinistas ficava atrás da estação. Casas baixas. Quintalões com árvores de fruto. Cachorros latindo. Galinhas ciscando entre os talos das couves. É do que me lembro.

O Brinca-na-Areia devia ser pouco mais velho do que eu. Perguntou pelas minhas irmãs, pelos meus primos, pelo meu pai. Rimos de casos antigos. As serenatas que fazíamos às meninas do Lar da Mocidade. Os pãezinhos quentes que íamos comer, já de madrugada, na Padaria Confiança. Aquela vez em que o Júnior adormeceu de bêbado, depois de uma noite de farra no Clube Atlético, e o Alvarito cagou na mão dele. A seguir o Brinca-na-Areia colocou um cigarro sem filtro na boca do Júnior até que a chama o queimou, e o coitado levou a mão borrada à boca e acordou. Rimos juntos. Enquanto ríamos voltamos a ser amigos. A seguir eu me calei e ele começou a chorar.

Floco de Neve não acredita que os meus problemas de memória, os buracos todos que me atormentam, tenham ligação com os relâmpagos. Acha que a minha amnésia tem apenas a ver com a violência da guerra. Traumas, diz ela, o diabo a quatro. Interessa-se por mim como um entomologista por um inseto raro. Eu sou um inseto raro. Sou muito mais raro do que pareço. Muito mais inseto. Mas não lhe disse isso.

Domingo, 16 de agosto de 1998

Manhã um pouco estranha. Acordei com grandes dores nas costas e no peito. Passei diante da televisão, na sala de recreio, e o aparelho desligou-se sozinho. Isso já aconteceu algumas vezes. Os malucos implicam comigo. Acham que eu interfiro nos aparelhos elétricos. Pode ser. Sou um relâmpago em marcha lenta.

...

Floco de Neve surgiu no hospital muito entusiasmada, com um largo sorriso:

— Sonhei com você — disse-me. — Você vestia um casaco de seda, de cor púrpura.

Olhei-a, desconfiado. Nunca tive um casaco dessa cor, nunca vi nenhum.

Terça-feira, 18 de agosto de 1998

Floco de Neve voltou a procurar-me:

— Lá estavas tu, camarada, com aquele casaco de uma cor impossível, falando em português, mas eu também falava em português, e o que tu me dizias era sensato, de uma sensatez como não existe nos sonhos.

Escutei-a em silêncio. Ela acrescentou:

— Se os teus sonhos fizerem algum sentido depois que despertaste, é porque talvez ainda não tenhas despertado.

Quarta-feira, 19 de agosto de 1998

Hoje foi o general Amável Guerreiro. A seguir apareceram duas enfermeiras. Logo depois, um empregado de limpeza. Todos eles sonharam comigo. Parece uma epidemia. Acho graça. Já me ri bastante. Nunca fui um tipo muito popular, antes pelo contrário, nem sequer sei fazer amigos, e agora, de repente, tornei-me famoso.

Sábado, 22 de agosto de 1998

Devo ser a única pessoa neste lugar que não sofre de perturbações mentais. Faz-me lembrar uma história que a minha avó contava. Num quimbo qualquer choveu uma água estranha. Quem fosse tocado por aquela água enlouquecia. A população inteira endoideceu, exceto um velho, que estava a dormir, dentro da sua cubata, quando a chuva caiu. Então, o velho saiu para a rua e veio um miúdo e cuspiu-lhe no olho, veio uma senhora e mostrou-lhe a bunda, uma outra pôs-se a segui-lo gritando insultos, e foi assim o resto do dia. Ao entardecer, desesperado, o velho atirou-se para uma poça de água. Sinto uma aflição semelhante. Todos sonham comigo. Eu, vestido com um casaco de seda, roxo, fazendo isso e aquilo. A princípio achei divertido. Agora começa-me a parecer assustador. As mesmas criaturas que antes me cumprimentavam, brincalhonas, passaram a olhar-me com desconfiança.

Segunda-feira, 24 de agosto de 1998

Um maluco veio pôr-se hoje à minha frente cortando-me o acesso ao refeitório. Começou a gritar comigo. Não entendi tudo o que ele dizia, mas entendi o suficiente. Acha que sou quimbandeiro. Um outro colocou-se ao lado dele, e a seguir um terceiro, um quarto e um quinto. Era uma muralha de enfurecidos. Recuei, voltei para o meu quarto. Fechei a porta à chave. Ouvia os urros lá fora, uma agitação crescente. Começaram as pancadas na porta. Pensei que me fossem linchar. Finalmente, Floco de Neve veio resgatar-me, protegida por três soldados. Entramos num carro e partimos.

— Não estás seguro no hospital — disse ela. Tive medo de que começasse a chorar: — Tem gente muito atrasada. Primeiro essa histeria coletiva, que eu mesma, sinto muito, eu mesma comecei. Depois as acusações de bruxaria... Porque sabes que é disso que te acusam, a tua gente, a minha, todo o mundo, não sabes?

Não respondi.

Durante a guerra vi o que não tem esclarecimento. Luzes atravessando paredes; chuvas de aranhas e de pássaros mortos. Lembro até hoje de uma lagoa da qual saltavam sapos gordos, amarelos como limões. Quem comesse aqueles sapos começava a falar uma língua desconhecida. As pessoas queriam falar português ou umbundo, mas só conseguiam falar essa língua. Compreendiam-se umas às outras. Nós, os que não quisemos comer os sapos, não entendíamos nada. Também me lembro de um velho que vomitava pequenas serpentes como se fosse macarrão. Recordo umas árvores carregadas de minúsculos caranguejos luminosos. À noite, faziam lembrar árvores de Natal. Havia um embondeiro que cantava ao anoitecer as canções mais tristes do mundo. Vi mulheres fuziladas, apedrejadas, queimadas vivas, porque os soldados as acusavam de voar à noite, com os morcegos, ou de os seduzir com cantos meigos para depois os transformar em pássaros. Vi soldados, que acreditavam terem sido transformados em pássaros, a pipilar, acocorados nos ramos de árvores altas. Certa ocasião entregaram-me um homem, um famoso feiticeiro, acusado de tentar envenenar o Savimbi. Enquanto conversávamos – conversar não será a expressão mais adequada –, o sujeito foi envelhecendo. Não chegou a confessar nada porque morreu de velhice nos meus braços.

Terça-feira, 25 de agosto de 1998

Muitas vezes, lembro-me de um capitão sul-africano, em Mavinga, o capitão Petrus Viljoen; lembro-me dele depois de pisar em uma mina e perder as duas pernas, lembro-me dele segurando a minha mão, como uma noiva, e me soprando ao ouvido:

— Maninho, maninho, querido maninho — num português cheio de erres e de erros —, o teu país é tão verde, o teu país é tão verde, queria ser verde como o teu país.

Pediu uísque, ele gostava de uísque, não tínhamos uísque, então dei-lhe um pouco de marufo, e ele morreu sorrindo nos meus braços. Nessa noite sonhei com ele e era um homem verde, verde como o capim depois das chuvas, uma cabeça de hipopótamo no lugar da cabeça dele, e contudo eu o reconheci, o reconheci pelo sorriso, e disse-me numa voz tão triste quanto a do embondeiro cantor:

— Maninho, maninho, nos estamos matando sem motivo algum, os que agora nos mandam para a morte já estão se preparando para mudar de lado.

A partir desse dia passei a sonhar muito com o capitão Petrus, passei a sonhar com outros mortos, inclusive com alguns que eu mesmo havia despachado para o lado de lá, e todos esses mortos me falavam de amanhãs sem nexo e da estupidez da guerra, e então comecei a relaxar os meus deveres, a minha higiene e, sobretudo, a minha própria segurança. Os meus superiores chamaram-me:

— O que se passa com você, brigadeiro, você que foi sempre um exemplo de disciplina, de organização, de brio militar, e agora anda falando sozinho, e assim mal-amanhado, de barba por fazer, chinelas nos pés, parece mais é um vagabundo, um maluco. — E eu sem resposta, só olhando para eles, num silêncio que ainda mais os enfurecia.

Portanto, uma manhã subi para um telhado para consertar uma antena, chovia, e eu levei dois raios no corpo, morri e ressuscitei, e perdi nesse processo um pedaço de memória ou, melhor, muitos pedaços de memórias.

...

Estou agora num apartamento pequeno, num prédio muito semelhante a alguns que temos em Luanda. Povo grelhando costeletas de porco nas varandas (quase sem carne, só gordura e osso). O que eles comem aqui nós não daríamos aos cães. Essa gente passa fome. Floco de Neve me proibiu de sair. Não posso falar com os vizinhos.

Sexta-feira, 28 de agosto de 1998

Passei esses últimos dias aprisionado. Não faço quase nada. Escuto as vozes do prédio. Uma empregada vem de manhã arrumar a casa. Traz-me comida e bebida. Chama-se Concepción e parece muito velha. Está meio surda. Talvez trabalhe para a polícia e se finja de surda apenas para me ouvir melhor. O certo é que não consigo manter uma conversa com ela.

Sábado, 29 de agosto de 1998

Esta tarde, Floco de Neve apareceu aqui em casa na companhia de um militar. O gajo estava vestido com umas bermudas amarelas, camisa às mil flores, como os meus primos mais velhos usavam nos anos 1960. Tinha até uns óculos redondos, de aro muito fino, à John Lennon. Podia ser um hippie perdido no tempo, mas bastou que os olhos dele tropeçassem nos meus para lhe adivinhar a profissão. Companheiros de ofício se reconhecem ao primeiro olhar. O homem sentou-se diante de mim, deu-me uma leve palmada num joelho e soprou:

— Então, moreno, parece que te infiltras nos sonhos dos outros. Como fazes isso?

Não gostei que me tratasse por moreno. Mas ele sorriu e eu fiz o mesmo. Começou a rir. Rimos os dois às gargalhadas. Finalmente, o militar endireitou-se. Compôs a camisa. Ficou muito sério:

— Que história maluca, companheiro, que porra de história. Um destes dias mandam-me interrogar o homem invisível — disse isso num tom grave, e eu endireitei-me também. — Companheiro, tens à tua frente um cubano raro, um genuíno marxista-leninista. Não acredito na merda da *santería*, nem em Jesus Cristo, nem na sua santa mãe, que ascendeu aos céus, a 15 de agosto, a bordo de uma nuvem prateada. Seria mais fácil para mim se me dissesses logo que raio de veneno deste a beber aos malucos para estes se porem todos a sonhar contigo. Quero um pouco dele, desse teu bendito veneno, que eu gostaria de ser sonhado por uma certa Isabel, gostaria de me passear aos domingos pelos sonhos dela, como se estivesse no Malecón.

Fez uma longa pausa. Eu sentia o bafo dele, um vago odor de fruta podre. Talvez sofresse de diabetes. Talvez não comesse há muito tempo. Tinha umas olheiras fundas como poços. O mais provável é que estivesse a trabalhar, sem repouso, há mais de vinte e quatro horas. Cansado e com fome qualquer homem é perigoso, mais ainda se for um operacional da inteligência militar cubana. Não convinha indispor-me com um tipo assim.

— Desculpe, companheiro — murmurei de olhos baixos, com o mesmo tom de voz com que me dirigiria a Deus, se Ele me aparecesse ali, naquele instante, e fosse um leão esfomeado. — Diga só o que pretende de mim. Estou disposto a colaborar no que for necessário.

O homem relaxou um pouco. Quis saber o que pensava eu daquilo. Disse-lhe que achava tudo um tremendo disparate. O cubano pareceu apreciar a resposta:

— Ainda bem, brigadeiro — retorquiu. — Você é brigadeiro, não é? Sei que lutou do lado dos fantoches. Agradeço a sua sinceridade. Chamo-me Pablo, Pablo Pinto, e sou capitão. Parece impossível, mas lá em cima não pensam como nós. Querem que investiguemos. Eles gostariam de ter um agente capaz de se passear pelos sonhos alheios. Aqui entre nós, consta que a CIA leva a sério projetos ainda mais disparatados. Portanto, vamos investigá-lo.

Não consegui esconder o espanto. O capitão sorriu:

— Tranquilo camarada, tranquilo, chega a noite, você deita-se e dorme, o bom povo cubano dorme, e na manhã seguinte nós falamos com alguns dos seus vizinhos. Isso, partindo do princípio de que você só consegue invadir os sonhos de pessoas que dormem nas proximidades.

Abanei a cabeça, muito cansado:

— Sem ofensa, capitão, o senhor enlouqueceu!

— Sim, sim, tens razão, isso é uma loucura. Vamos resolver o assunto numa semana e depois regressas a Angola. Lembro-me das mulheres do teu país. Belas mulheres. Também me lembro da comida, cabrito assado, um frango com óleo de palma e aquela pasta de mandioca, funge, não é? Tudo muito bom. Excelente comida, lindas mulheres, música quase tão boa quanto a nossa. O vosso problema é a indisciplina e a arrogância. Se não fosse a nossa intervenção, em 1975, e mais tarde, em Mavinga, vocês seriam hoje uma província sul-africana. Tu, brigadeiro, gostarias que Angola fosse uma província sul-africana?

— Não, isso nunca esteve em questão. A África do Sul nunca pretendeu anexar Angola.

— Não?! Ainda falas como um fantoche...

Não percebi se o gajo estava a brincar ou a falar a sério, de modo que me deixei ficar mudo e de olhos baixos. "Se você quer viver", dizia o meu pai, "faça de conta que está morto". Isso é uma coisa que todos os pobres aprendem desde pequeninos. A fazerem-se de mudos, de surdos e de cegos; a fazerem-se minúsculos e enterrados, como defuntos.

Sexta-feira, 4 de setembro de 1998

Acordei com o cheiro bom de café que se infiltra do apartamento à direita. Na cozinha há um frigorífico. Em cima do frigorífico, junto a uma janela, alguém colocou uma gaiola de arame com dois canários. A janela dá para uma rua estreita, sem movimento. Os pássaros cantam o dia todo. Eles calam-se ao entardecer e com o silêncio a casa entristece. Eu mudo-lhes a água. Dou-lhes alpiste e pedaços de banana, que debicam com gosto. Chamei Bucha ao maior. Estica ao mais magrinho. Falo muito com eles. Talvez os gajos sonhem comigo.

...

Deito-me sempre muito cedo. Fico à escuta, estendido na cama, enquanto o sono não vem. Já sou capaz de identificar a maioria das vozes. No apartamento de cima mora um casal. Ela deve ser muito jovem. Ele não. Discutem todas as noites e depois vão para a cama.

— Dá-me, papi, dá-me tudo! — grita a moça. O homem arqueja e vai à luta. — Bate, papi, bate na tua mulher. Bate no meu rosto. Bate com força! — grita a moça, e eu escuto o estalar da palma do homem na carne dela. O esforço de ambos faz estremecer o lustre da sala.

Ao lado direito vive uma família com quatro filhos e um avô doente. O velho tosse, tosse, tosse a noite toda. Eu acordo, vez por outra, para urinar e ouço-o do outro lado da parede, lutando contra o catarro, insultando Jesus Cristo e a Virgem Maria num espanhol exuberante, insultando Fidel Castro, insultando os filhos, os filhos todos, que não cuidam dele e o deixam ali, a apodrecer, em vez de o mandarem para Miami.

No outro apartamento habita um pianista de jazz e duas dançarinas de cabaré. O pianista tem um piano. Toca boleros antigos que eu conheço bem: "Tu me acostumbraste", "Solamente una vez", "Bésame mucho", "Angelitos negros" ou "Las simples cosas". Gosto deste último. Lá no mato, quando eu era guerrilheiro, também ouvíamos música afro-latina. Uma vez apanhamos um capitão cubano, um gajo divertido, muito cômico, chamado Ramirez. O cubano cantava. Cantava mesmo bem. Cheguei a ouvi-lo cantar acompanhado por uma banda de miúdos, na Jamba, chamada Jaguares Negros. Infelizmente, o Velho decidiu fuzilar o cubano. O pianista, este meu vizinho, toca todas aquelas canções com uma emoção sincera, reinventa-as enquanto as toca, de tal forma que eu tenho a sensação de as ir desconhecendo enquanto as reconheço. É a melhor parte dos meus dias.

Sábado, 5 de setembro de 1998

Pablo não quer que eu me aproxime das janelas que dão para o átrio comum. Os vizinhos não podem saber que eu estou aqui. Então escondo-me atrás das cortinas e fico a espiar a vizinhança. Vi o pianista, algumas vezes, preparando-se para ir trabalhar. Também o vi na companhia das bailarinas, trocando impressões sobre os frequentadores do cabaré onde os três atuam. Num outro dia dei com ele à conversa com uma moça de pernas compridas. Acho que é a vizinha do andar de cima. Ontem levantei-me bem cedo e o surpreendi abraçado a um jovem magro, de cabelo vermelho, com um forte sotaque americano.

Domingo, 6 de setembro de 1998

Pablo voltou. Compreendi, mal ele fechou a porta, que não trazia boas notícias.
— Brigadeiro, meu querido brigadeiro — começou por me dizer —, a tua história está ficando cada vez mais desvairada. Falamos com alguns dos teus vizinhos. Falamos com eles separadamente. Estavam à espera de tudo menos que nos preocupássemos com aquilo com que andam a sonhar. Um velhote insultou-me.
Pablo riu-se com gosto, sacudindo a cabeça. Imitou a voz do velho. Era um bom imitador.
— "Grande filho de um bode sifilítico, então agora sonhar também é crime?" Tive de me encher de paciência. Inventei toda uma história. Não, eu não sou polícia. Sou psicólogo. Andamos a fazer um estudo sobre os sonhos da população cubana. Enfim, não tem sido muito fácil, pelo contrário. É a missão mais estranha de toda a minha vida.
Olhei para ele, furioso. Ele devolveu o olhar, como se fôssemos dois pugilistas antes do primeiro soco. Esperava que eu dissesse alguma coisa. Fiquei calado. Um polícia - e eu fui um bom polícia - aprende a gerir os silêncios. Então, o gajo puxou uma cadeira e sentou-se de frente para mim:
— A merda é que todos eles têm sonhado com a mesma pessoa. Um homem vestido com um casaco roxo. Mostrei-lhes uma foto tua e ficaram assombrados. Assombrados e talvez também um pouco assustados.
— Reconheceram-me?

— Sim, sim, quase todos. O velhote não. Ou então reconheceu e não me quis dar essa alegria. Em todo o caso ele sabe que eu não sou psicólogo.

Sacudi a cabeça, cada vez mais inquieto:

— E que diabo fazia eu nos sonhos deles?

Pablo tirou os óculos. Limpou as lentes com a parte de baixo da camisa:

— A sério que não sabes?

— Porra, como haveria de saber?

Pablo espetou o indicador da mão direita no meu peito:

— Vê lá como falas, cabrão, tem um pouco de respeito. Andas a passear-te pelos sonhos de toda essa gente e não te lembras de nada?

— Não. Não. Não me lembro de nada!

— Certo, não vale a pena zangarmo-nos. Vamos fazer o seguinte: eu fico a dormir aqui, contigo, nas próximas noites. Importas-te? — Lembrava um gato divertindo-se com um pardal. Voltou a colocar os óculos. Com óculos, os olhos dele pareciam menores e mais duros. — Tranquilo, companheiro. Eu durmo aqui na sala, no sofá. Tu continuas a dormir no quarto. Para falar com franqueza, estou bastante curioso. Também deverias estar. Sofro de bizarros pesadelos. Muito bizarros mesmo. Nem os reconheço como meus. Vais ter o privilégio de te passear por eles.

...

Pablo está na cozinha a fritar bananas verdes.

...

Comemos juntos, na sala, em cuecas, numa intimidade de marido e mulher. Por volta da meia-noite, o velho do andar de cima começou a gritar com a moça das pernas compridas.

— É sempre assim? — quis saber o capitão.

— Sim. Tem sido assim todas as noites. Daqui a pouco vão para a cama.

Minutos depois o candeeiro da sala pôs-se a dançar. Eu via a sombra do Pablo crescer sobre a minha, como se a fosse devorar, e depois fugir, até se esconder num dos cantos. O capitão sacudiu a cabeça, impressionado:

— O diabo do velho foi jornalista. Chama-se Nicolás Santa-María e tem setenta e quatro anos, acreditas?

— Parece estar em excelente forma.

— E está mesmo. Rijo e lúcido como o comandante Fidel. Ninguém lhe dá mais de cinquenta e cinco. Ficarás ainda mais surpreendido se souberes que o tipo esteve preso vinte anos. Não te vou contar por que é que ele esteve preso tanto tempo, é segredo de Estado.

Pablo esperou que o casal concluísse a furiosa ginástica noturna, levantou-se e desejou-me sonhos felizes, e eu retornei ao quarto. Deitou-se. Ouço-o na sala, a ressonar.

...

Escrevo. Não consigo dormir. Aterroriza-me a ideia de fechar os olhos e despertar, num salto, dentro de um dos sonhos do Pablo.

Segunda-feira, 7 de setembro de 1998

São agora duas da tarde. Terminei de almoçar. Quando essa madrugada, por volta das seis e trinta, o capitão se levantou e, sem bater, entrou no meu quarto, eu devia ter um tristíssimo aspecto. Olhou-me com desgosto:

— Caramba, moreno! Tens mesmo cara de quem passou a noite inteira a viajar pelos sonhos dos outros. Isso deve ser muitíssimo fatigante.

Disse-lhe que lamentava desiludi-lo: não dormira nada. Passara a noite a revolver-me nos lençóis. Pablo sentou-se na ponta da cama, o rosto voltado para a janela, com um misto de raiva e decepção.

— Por isso não sonhei contigo. Sofri mais um daqueles pesadelos extravagantes, mas tu não apareceste. Esperei a noite inteira e tu não apareceste, meu cabrão.

Irritei-me. Disse-lhe que me estava marimbando para os pesadelos dele. Estava-me marimbando para os sonhos e para os pesadelos dos cubanos. Queria voltar para Luanda. Pablo não me prestou atenção. Ergueu-se. Desatou num bailado nervoso pelo quarto. Quatro passadas para lá, quatro para cá. Quatro passadas para lá, quatro para cá. Procurou alguma coisa nos bolsos do casaco, mas logo desistiu.

— Nunca devia ter deixado de fumar. Não fumar está a arruinar-me a saúde. Quanto a ti, moreno, tens de dormir! O contrato é simples, nós damos-te cama, comida e roupa lavada, e tu dormes. Se te recusas a dormir levo isso a mal, fico zangado contigo. Posso prender-te por... por... Sei lá eu com que raio de pretexto te posso prender...

— Então prenda! Qualquer pretexto é bom. Em Cuba, como em Angola, qualquer motivo é bom para prender alguém: os livros que a gente lê, o corte de cabelo, a largura das calças, os vistos no passaporte, a religião, os hábitos sexuais e alimentares. Pode até mandar-me prender por eu me recusar a dormir.

— Tens razão, mando-te prender mesmo sem pretexto nenhum. Vê lá tu, podia estar à janela do meu humilde palácio, a esta hora, comendo o meu pão molhado no café com leite e vendo, lá fora, desfilarem as meninas. Moro junto a uma escola. Sim, uma escola. Todas aquelas menininhas com saias muito curtas e blusinhas justas. Só de pensar nelas já me sinto mais homem. Em vez disso, acordo num sofá do tempo de Batista, e dou com essa tua cara de cachorro triste. Esta noite vou tomar medidas drásticas.

...

Pablo chegou às dez da noite com as medidas drásticas: dois comprimidos para dormir. Mostrou-me os comprimidos:
— Engole isso.
Engoli os comprimidos sem discutir. Vamos lá a ver se durmo.

Terça-feira, 8 de setembro de 1998

Dormi como uma cordilheira. Acordei refeito, com a pele lustrosa e a alma mais leve. Pablo aguardava por mim na cozinha, estrelando ovos.
— Estás com excelente cara esta manhã, companheiro. Vejo que dormiste.
Respondi que sim, que dormira, dormira muito bem.
— Dormiste oito horas e vinte e dois minutos. E eu sonhei, companheiro, sonhei, mas não contigo. Das duas uma, ou estamos diante de uma bela fraude coletiva, ou tu evitas entrar nos meus sonhos.
Comi os ovos, irritado, de cara fechada e olhos presos ao prato. À tarde, Pablo passou pelo apartamento para me informar, um tanto perplexo, que nas duas últimas noites ninguém ali no prédio sonhara comigo:
— Vamos tentar de novo essa noite. Dessa vez sem os comprimidos.

Regressou, horas depois, trazendo frango grelhado para o jantar e duas garrafas de um vinho chileno chamado Gato Negro. Não aprecio vinho, sou mais de cerveja, mas gostei daquele. Comemos bem, acabamos com o Gato Negro. Pablo contou um pouco da sua vida. Aos dezoito anos oferecera-se para combater em Angola, não por convicções ideológicas, pois nessa altura não acreditava em coisa alguma, e sim para escapar a um pai despótico, que o queria ver formado em medicina, como ele mesmo, e o avô e o bisavô antes dele. Regressou a Havana transformado num verdadeiro comunista; além disso, acrescentou, num militar. Pronunciou a palavra militar muito sério, mi-li-tar, olhando-me nos olhos.

Sustentei-lhe o olhar. Nessa altura da minha vida só quero é ver-me livre do Exército. Estou farto de militares. Contudo, compreendo a devoção. A instituição castrense é muito mais do que uma grande família. O Exército é como uma sinfonia, uma sinfonia perfeita, em meio ao estrondo desconjuntado de uma cidade gigantesca. Um homem, ao alistar-se, passa a fazer parte dessa sinfonia. Somos uma nota na pauta. Estar ali, em sentido, na pauta, transmite um sentimento de harmonia e de conforto.

Quarta-feira, 9 de setembro de 1998

Quando acordei essa manhã dei com o Pablo sentado na minha cama. Devo ter despertado quando ele se sentou. Não procurou esconder o entusiasmo:

— Como fazes? Foi como contou a Floco de Neve. Como contam os outros. Lá estavas tu, com um casaco muito estranho. Não fosse pelo casaco, parecerias mais real do que agora. Talvez por contraste. Pela irrealidade de todo o resto. Entraste de repente, atravessaste sorrindo a insensatez do meu pesadelo e começaste a falar.

— O que disse eu?

— O que disseste?! Se não te lembras, também não serei eu a informar-te. De resto, para que nos serves tu, mesmo sendo verdade que tens essa capacidade de entrar nos sonhos alheios, se depois não te lembras de nada?

— Sim, sim, ora aí está, não vos sirvo para nada. Nunca poderei atuar como um agente infiltrado, pois não me recordo de nada. De que vos serve um agente com amnésia?!

— Sei lá. Podemos sempre utilizar-te para passares uma determinada mensagem aos sonhadores.

— E como fariam isso? Eu não consigo controlar os sonhos.

Pablo franziu o sobrolho. Tirou do bolso das bermudas um pequeno caderno e um lápis minúsculo e anotou alguma coisa. Tomou o mata-bicho comigo e foi-se embora. Regressou às duas da tarde na companhia de Floco de Neve. Ao vê-la, fui-me abaixo. Abracei-me a ela:

— Tire-me daqui! Explique-lhes que tudo isso não passa de um equívoco terrível. Eu não sou quem eles pensam. Estão todos loucos. Quero voltar para o meu país.

Floco de Neve estava tão nervosa quanto eu. Limpou as lágrimas com as costas da mão enquanto procurava acalmar-me. Concordava comigo. Pretendia apenas esclarecer aquele "pequeno mistério". Foi assim que ela lhe chamou: "pequeno mistério". Depois eu poderia regressar a casa. Pablo sentara-se à mesa, fingindo escrever no caderno. Voltei-me para ele. Exigi falar com alguém da embaixada de Angola. Sorriu de volta, conciliador:

— As autoridades angolanas estão informadas, não te preocupes. Vamos continuar com este programa só mais alguns dias. Vá lá, em Mavinga passaste por coisas piores. Sim, eu sei que estiveste em Mavinga. Mesmo no quartel, quando regressares a Luanda, tenho a certeza de que a comida não será tão boa. A tua missão, moreno, é muito simples, tens apenas de dormir e sonhar.

— Não me chame moreno!

— Calma! — interveio Floco de Neve, conciliadora. — Calma, Hossi. Vamos conversar. O capitão já não tem mais nada a fazer aqui. Tu e eu vamos conversar.

Pablo ergueu-se. Estendeu-me a mão:

— Sim, por agora deixo-te com a doutora. Tenho coisas mais sérias a tratar. Uma empregada virá todos os dias, como até aqui, para te trazer comida e arrumar a casa. Não te aproximes das janelas. Não deixes que ninguém te veja.

— Não deixo que ninguém me veja?! E isso por quanto tempo? Quanto tempo mais tenho de ficar preso aqui?

— Não estás preso. Estás a cumprir uma missão. És um combatente angolano e estás a cumprir uma missão. Por mim mandava-te para casa agora. Estou farto de ti. Mas não posso. Vou dar ordens para que te entreguem mais garrafas de vinho, aquele vinho de que tu gostas. Descansa e dorme.

Despediu-se de Floco de Neve com um aceno de cabeça e saiu. A psicóloga sentou-se numa das cadeiras. Olhou-me longamente, enquanto sacudia a cabeça:

— Isto deve parecer-te estranho.

Sentei-me, limpei o rosto à camisa. Fazia muito calor. Eu só queria que a Floco de Neve saísse e me deixasse sozinho para tomar um banho frio. Olhava-a de caxexe, como um camaleão a olhar para um gato, sem conseguir esconder o nervosismo. Fora mandado para Havana porque estava com problemas de memória. Chegara ali para me tratar. Afinal, pulara da frigideira para o fogo. A psicóloga tentou me consolar:

— Chegaste aqui um tanto perturbado. Acho bem natural, quem não ficaria perturbado depois de viver todos os horrores que tu viveste? Sonhos, vamos falar de sonhos. Alguma vez pensaste para que servem os sonhos?

— Sei lá! A minha avó se servia dos sonhos para saber coisas. Adivinhava o futuro através dos sonhos. Podia fazer sol, de manhã, mas ela sabia que choveria ao entardecer.

— Sim. Os sonhos e a adivinhação estão ligados. Os sonhos foram desde sempre uma disciplina da magia. Mas tu não acreditas em magia, pois não? Eu sou psicóloga. Acredito um pouco.

Contei-lhe que ao longo da vida, especialmente na mata, vi muitos fenômenos estranhos, ouvi muitas histórias, mas nada tão disparatado como a que o pessoal da inteligência cubana inventara. Floco de Neve disse-me que os sonhos nos ajudam a enfrentar o mundo real. Antigos combatentes costumam sofrer de pesadelos. Esses pesadelos tendem a repetir-se. Abanei a cabeça com firmeza:

— Eu não sofro de pesadelos! Pablo, sim. Pablo é doido varrido.

— Pablo também combateu em Angola. O que quero dizer é que talvez os pesadelos ajudem as pessoas a lidar com as memórias traumáticas. Além disso, parece certo que os sonhos servem para fixar memórias. Finalmente, podem ajudar-nos a encontrar soluções para problemas que nos preocupam enquanto estamos acordados. Mendeleiev criou a tabela periódica dos elementos químicos depois de um sonho. August Kekulé sonhou com uma cobra que mordia o próprio rabo e quando acordou percebeu que descobrira a estrutura da molécula do benzeno. Também dizem que Beethoven e Wagner ouviam, em sonhos, fragmentos das composições em que estavam a trabalhar. Por vezes sonhavam peças inteiras. Paul McCartney sonhou com "Yesterday". Acordou com a música na cabeça, sentou-se ao piano e tocou-a de uma ponta à outra. Convenceu-se de que a havia escutado antes e por isso não se atrevia a gravá-la. Achava que não era dele. Durante meses andou a assobiar a música aos amigos, para descobrir quem a criara, até que finalmente se convenceu de que a achara em sonhos. Você sabe que uma pessoa passa, em média, ao longo da vida, seis anos sonhando? Tem de haver algum sentido nisso...

Escutei-a interessado, mas a fingir desinteresse. Voltei a dizer-lhe que quase não sonhava. Ela irritou-se. Insinuou, erguendo a voz, que talvez eu não lhe quisesse contar os meus sonhos. Então levantei-me e abri a porta:

— Faça o favor de sair!

Floco de Neve saiu. Tomei um banho frio e fiz o jantar. Comi na sala, distraído, enquanto lia, ou tentava ler, velhas revistas literárias. Terminei de comer, lavei a louça e estendi-me no sofá, com um livro nas mãos: *O outono do patriarca*, do García Marquez, que encontrei ontem escondido debaixo da cama, dentro de uma caixa de papelão. A noite desceu, mas o calor não acalmou. Finalmente, pousei o livro. Tomei outra ducha e postei-me à janela, em cuecas, a espreitar o átrio. Não vi ninguém. Sentia-me a sufocar. Uma brisa afastou as cortinas e veio, fresquinha, afagar-me a pele. Tomou-me, de súbito, uma urgência de sair, de fugir, de me perder pelas ruas escuras da cidade. Vesti umas calças de ganga, afastei as cortinas e saltei a janela. O átrio dava para uma espécie de pátio interior, no qual apodreciam cinco ou seis carcaças de carros americanos dos anos 1950. Fiquei sentado no muro, de costas para o átrio, olhando o caos. Escutei uma voz de mulher:

— Boa noite! Então, você é o vizinho do trinta e três.

Virei a cabeça para a ver. Ela estava encostada à porta e sorria. Trazia um vestido curto, muito leve, solto, com a estampa de um pavão. Ali, onde eu me encontrava, meio afundado na noite, a moça não me via o rosto. Mal se aproximou, porém, o sorriso trocista com que me enfrentava transformou-se numa expressão de espanto:

— Virgem Santíssima! É o homem dos sonhos!

Recuou três passos na direção da escada. Ergui as mãos, procurando sossegá-la:

— Você sonhou comigo?!

A moça hesitou:

— Eu e muitos outros. A polícia anda a interrogar toda a gente. Quem é você?

Tentei acalmá-la, mas eu mesmo estava nervoso, tropeçava nas palavras. Disse-lhe que não era cubano, e sim africano, e estava ali escondido contra minha vontade. Fora, na prática, raptado pela segurança cubana:

— Por favor, não conte a ninguém que me viu.

A jovem pareceu serenar. Avançou dois passos. Estendeu a mão:

— Ava, o meu nome é Ava, como a Ava Gardner.

— Eu me chamo Hossi. Hossi significa leão na minha língua. Eu tive um irmão gêmeo. Morreu na guerra. Na minha cultura, quando nascem dois gêmeos machos, um fica a chamar-se Hossi, e o outro, Jamba, elefante.

Conversamos durante duas horas. Deixei-a há pouco. Prometeu esperar por mim amanhã à mesma hora.

Quinta-feira, 10 de setembro de 1998

Desde que acordei só penso em Ava. Tentei ler, mas não consigo. Concepción encontrou-me na cozinha a falar com os canários. Não disse nada. Não pareceu surpreendida. A velha me fez uma sopa, limpou a casa e se foi.

...

Ava apareceu à hora combinada. Saltei a janela e juntei-me a ela na varanda. Trazia um vestido azul, muito simples, e estava descalça. Pareceu-me ainda mais jovem do que ontem. Tive receio de lhe perguntar a idade. Ficamos a conversar até as duas da manhã. Disse-lhe que sou militar. Contei-lhe que fui atingido por dois raios. Ao contrário da maioria das pessoas, ela não colocou em dúvida o meu relato. Quis ver as cicatrizes:

— São lindas! — assegurou.

Levou dois dedos à boca e depois passou-os pela minha pele. Agora estou sentado à mesa da cozinha, a conversar com os canários – de novo. Bucha parece interessado. Estica dorme com a cabeça escondida debaixo da asa. Devia ir deitar-me, mas não tenho sono.

Sexta-feira, 11 de setembro de 1998

Fecho os olhos e vejo os olhos da Ava, uns olhos grandes, cor de mel, cheios de luz. Esta noite ouvi-a, no andar de cima, gemendo, enquanto o velho se esforçava sobre ela. Esperei, sentado à janela, mas não apareceu.

Sábado, 12 de setembro de 1998

Pablo almoçou comigo. Trouxe-me um gravador: "Se por acaso acordares e te lembrares de um sonho, grava-o". Disse-lhe, novamente, que não sonho. Há anos que não sonho. Ou então sonho, mas não me recordo.

...

Ava também não veio esta noite.

Domingo, 13 de setembro de 1998

Pensei em Ava o dia inteiro. Penso tanto nela que me dói o estômago. Doem-me os olhos de tanto os apertar para pensar nela. Fico horas a imaginar como seria a vida se ficássemos juntos. Talvez eu possa permanecer em Havana, fazendo traduções do espanhol para o português ou reparando aparelhos elétricos. Nada me impede. Não tenho ninguém à minha espera em Angola.

...

Ava veio. Eu estava estendido, havia horas, no soalho da sala, olhando o teto, imaginando que o teto era um teatro de sombras, quando escutei leves batidas no vidro da janela que dá para o corredor. Era ela. Sorriu ao ver-me. Abraçou-me. Beijou-me no rosto.

— Posso entrar?

Não esperou pela minha resposta. Passou a perna direita, depois a esquerda, e entrou. Voltou a abraçar-me. Um abraço longo. Encostou os lábios ao meu pescoço:

— Cheiras bem — murmurou.

Afastei-a, assustado. Fui sincero:

— Há muitos anos que não estou com uma mulher.

Ava recuou três passos. Puxou a orla do vestido - o mesmo com o qual a vi antes, com a estampa de um pavão -, mostrando as pernas.

— Achas-me bonita?

— Sim! Sim!

— Beija-me!

Beijei. Ela enfiou a língua na minha boca e eu esqueci todos os medos.

Segunda-feira, 14 de setembro de 1998

Olho para trás, para o que sobrou em mim da minha vida, e não me recordo de alguma vez ter sido tão feliz como sou agora.
    Não me recordo de ter sido feliz.

Terça-feira, 15 de setembro de 1998

Ava apareceu aqui a meio da tarde. Abri-lhe a porta, nervoso, com receio de que alguém a tivesse visto. Ela entrou, baixou as alças do vestido e deixou que este deslizasse até ao chão. Ficou nua.
    — Gosto do teu olhar quando me dispo — disse. — Vestida com esse olhar sou invencível.
    Invencível é como eu me sinto desde que ela apareceu na minha vida. Invencível e, ao mesmo tempo, frágil. Invencível enquanto ela está comigo, enquanto se ergue sobre mim, gemendo e gritando, e frágil a cada vez que se vai, sem que eu saiba se voltará de novo.

Sexta-feira, 18 de setembro de 1998

A noite passada voltei a ouvi-la gemer nos braços do velho. Não lhe digo nada. Não tenho esse direito. Faço de conta que não sei que ela vive com outro homem. Ava fala muito sobre o pai, fala sobre a infância difícil, mas raramente diz alguma coisa acerca do seu dia a dia. Sei que estudou enfermagem, mas desistiu. Estudou informática e também desistiu. Um desses dias lhe perguntei como se imagina no futuro. "Contigo", disse-me e mordeu-me a orelha.

...

Pablo apareceu. Quis saber se eu gravara algum sonho. Disse-lhe que não. Pediu-me que lhe devolvesse o gravador. Falou-me de cinco cubanos que foram presos há poucos dias, em Miami, acusados de espionagem. Falou-me de um deles com calor, como se eu também o conhecesse, como se fôssemos todos amigos de infância. Despediu-se de mim com um abraço.

Domingo, 20 de setembro de 1998

Esta noite encostei Ava à parede, de costas para mim. Tive de fazer um esforço enorme para não gritar. Foi bom.

Terça-feira, 22 de setembro de 1998

Fecho os olhos e volto a ver Ava erguendo a bunda redonda, firme e lisa, expondo-se toda. Eu sentindo-a estremecer na minha boca. Ela mordendo os lábios, em silêncio.

...

Acordei a meio da noite. O cheiro de Ava. A certeza de que alguma coisa má está prestes a acontecer.

Quarta-feira, 23 de setembro de 1998

A Concepción não apareceu esta manhã. Achei estranho. Às três e pouco apareceu o Pablo, acompanhado por dois soldados. Disse-me que juntasse as minhas coisas e fizesse a mala:

— Vais voltar para casa, brigadeiro!

Olhei-o, atordoado:

— Agora?!

— Agora. Tens um avião à tua espera no Aeroporto José Martí.

— Não pode ser.

— Por que não? Estavas tão ansioso por voltar para casa. Além disso, tinhas razão desde o início. Pura maluquice. Vamos esquecer tudo isso. Esquecer esses dias.

Arrumei os meus poucos pertences, ajudado (ou vigiado) por um dos soldados. Pensava numa maneira de prevenir a Ava. Não me ocorreu nada.

— Tenho sonhado — disse. — Tenho tido sonhos incríveis.

Pablo voltou-me as costas:

— Os teus sonhos não me interessam. Na verdade, nunca me interessaram. Sou militar, cumpro ordens. Vamos!

Levou-me ao aeroporto. Descemos e ele acompanhou-me até as escadas do avião. Abraçou-me. Encostou a boca ao meu ouvido:

— Lamento, moreno, lamento muito. Queres que eu diga alguma coisa à tua namorada?

Fiz um esforço enorme para conter as lágrimas:

— Diz-lhe que voltarei para a buscar.

Subi as escadas. Sentei-me junto à janela, ao lado de um homem gordo, suado, que adormeceu mal o avião decolou. Ressonou a viagem inteira. Estamos agora a descer para Luanda. Não sei o que vou encontrar. Não me interessa.»

8.

Estou habituado a escutar histórias bizarras. Já raramente me surpreendo. Aquilo que para uns é estranho para outros pode ser trivial. Quando Hossi terminou de falar fiz-lhe algumas perguntas:

— O que aconteceu a Ava?

O hoteleiro esperava a pergunta:

— Não voltei a falar com ela...

— Não tentou?

— Não. Nem sequer sei o endereço do prédio onde me mantiveram preso. Além disso, Ava é casada, lembra-se? O marido dela, Nicolás, foi o melhor amigo do pai de Ava. Quando prenderam o pai de Ava, Nicolás inventou uma conspiração para que o prendessem também. Deixou-se prender para ajudar o amigo na cadeia. Ajudou-o. Protegeu-o. O velho morreu nos braços dele. A mãe de Ava morreu poucos meses depois. Ao sair da cadeia, Nicolás tinha uma órfã à espera. A gratidão é um sentimento mais sólido do que o amor. Ela não deixaria o marido para ficar comigo.

Fez-se um silêncio. Hossi pensava em Ava. Eu pensava na Mulher-dos-Cabelos-de-Algodão-Doce.

— Na verdade queria falar-lhe dos meus sonhos — confessei. — Sonho com pessoas que não conheço, mas que realmente existem ou existiram.

— Estranho seria se você sonhasse com pessoas que não existem. Parece que em sonhos não conseguimos inventar rostos. Sonhamos apenas com pessoas reais. Li isso em algum lugar. Conte-me mais sobre os seus sonhos.

— Tenho sonhos muito detalhados. Sonho com a vida inteira dessas pessoas e às vezes converso com elas. Tenho conversas que não é comum acontecerem em sonhos. Os meus amigos não acreditam em mim.

— É natural. Você acha que eu acredito?

— Não acredita?

— Por que haveria de ser mais crédulo do que os seus amigos?

— Você contou-me uma história inverossímil e eu acreditei.

— Então você é mais estúpido do que a maioria. Como jornalista, deveria cultivar o hábito do ceticismo. Ganhava muito com isso.

Senti o Demônio Benchimol a descer sobre mim:

— Então, aquilo que me contou, os sonhos, os raios assassinos, a paixão pela Ava, enfim, todas as histórias, você mentiu-me?

— Menti, inventei tudo. Ou não, não menti. Que importância isso tem?

— Tem importância, sim! — gritei.

— Não tem nada. Não tem importância nenhuma. O importante é que você acreditou. Enquanto eu lhe contava a minha história você acreditou nela. Enquanto eu lhe contava a minha história, tudo aquilo era verdade — suspirou, um suspiro longo, como o apito de um trem, à despedida. — Não, não o vou ajudar. Aliás, ia ajudá-lo como? Peça ajuda a um psicólogo.

9.

Eu vivia obcecado com as fotografias. Mandei imprimi-las. Costumava observá-las antes de adormecer. Voltava a vê-las assim que acordava. Ficava instantes perdidos a olhar para aquela mulher nua, tão alheia, tão bonita. Passava os dedos pelos seios pequenos e as pernas altas. Adormecia e voltava a encontrá-la em sonhos, e agora ela desfilava ao longe – não como uma pessoa, mas como uma paisagem. Só os pássaros sonâmbulos falavam comigo.

Uma tarde descobri que o Google possui uma ferramenta capaz de pesquisar imagens. Carreguei uma das fotografias para a página de busca. Surpreendi-me ao ver surgirem sessenta e oito resultados. "Resultado mais relevante para esta imagem: Moira Fernandes."

Pesquisei "Moira Fernandes".

Reconheci imediatamente a Mulher-dos-Cabelos-de--Algodão-Doce: "Artista plástica, nascida em Maputo, Moçambique, a 7 de agosto de 1983, numa família originária da Ilha de Moçambique. Estudou na Byam Shaw School of Art, em Londres, graças a uma bolsa de uma instituição britânica. Aos vinte e cinco anos foi viver para Cidade do Cabo, África do Sul, onde ainda reside. Recebeu vários prêmios nacionais e internacionais. Trabalha com fotografia, mas também com pintura a óleo e aquarelas. Tornou-se conhecida após expor uma série de fotografias nas quais encena os próprios sonhos".

Telefonei a um jornalista sul-africano, Peter van der Merwe, que conheci há muitos anos, durante a guerra. Ficamos amigos. Peter trabalha no *Mail & Guardian*, um dos mais respeitados jornais sul-africanos. Perguntei-lhe se conhecia Moira Fernandes.

— Moira, a artista? — Peter riu-se. — Ela desapareceu?

— Espero que não. Mas perdeu algo, e eu encontrei o que ela perdeu. Quero devolver-lhe o que encontrei.

— Ah! Vejo que você continua a trabalhar nos perdidos e achados. Se bem que antigamente você nunca encontrava nada...

— Encontrava, sim...

— Encontrava o quê? Aquele maldito avião? Você encontrou o avião...?!

Conversamos mais alguns minutos, entre gargalhadas e provocações. Prometi visitá-lo em Joanesburgo, esperando não o fazer – detesto Joanesburgo. Despedi-me e desliguei. Meia hora depois recebi o endereço eletrônico de Moira. Sentei-me a escrever:

"Olá, Moira!"

Hesitei um instante. Nunca sei muito bem como me dirigir a um desconhecido. Naquele caso, pior, pois eu já a conhecia, mas não lhe podia dizer isso. Corrigi:

"Cara Moira, chamo-me Daniel Benchimol, sou jornalista e vivo em Luanda. Recentemente, enquanto nadava, numa praia próxima, encontrei uma máquina fotográfica que descobri conter fotografias da sua autoria. Imagino que a máquina lhe pertença. Gostaria de a devolver. Atenciosamente, Daniel Benchimol."

Enviei a mensagem e fui preparar um chá. Enquanto colocava a água na chaleira voltei a pensar em Lucrécia. Senti uma pontada de rancor. Entregara o meu futuro àquela mulher e ela deitara-o fora, juntamente com o passado.

10.

«Querido Daniel,

Muito obrigada pela sua mensagem. Fiquei feliz e muitíssimo surpreendida ao recebê-la. A máquina fotográfica é minha, sim. Na sua mensagem diz que é jornalista. Jornalistas são treinados para fazer perguntas. A partir de certa altura tornam-se perguntadores compulsivos. Achei extraordinário que não me tivesse colocado uma única questão. Nem sequer se a máquina me pertencia. Fiquei a pensar nisso. Suponho que tenha feito um esforço deliberado, um esforço enorme, para não o fazer. Agradou-me a delicadeza.
Vou então tentar responder às perguntas que, tenho a certeza, pensou em colocar-me.

Daniel Benchimol: Como perdeu a máquina?
Moira Fernandes: Perdia-a em Cidade do Cabo há mais de um ano. Fui passear de barco com um grande amigo, o Hugo, que organiza excursões com turistas. Os turistas mergulham em gaiolas para verem tubarões. Levei a máquina na intenção de fotografar os tubarões. Coloquei no cartão de memória algumas imagens já prontas, já trabalhadas, para mostrar ao

meu amigo. Você deve ter visto essas imagens e mais algumas dos tubarões. Espero que não se tenha assustado muito com as primeiras. Apenas um pouco, pois, segundo o Hugo, a arte distingue-se do postal turístico porque enquanto o postal apazigua, a arte inquieta.

Diga-me: assustou-se?
Em determinada altura um dos tubarões investiu contra a gaiola, bateu de frente contra as grades, e eu quase morri de choque – nunca me assustei tanto em nenhuma galeria de arte. Então, soltei a máquina.

As suas fotografias lembram-me sonhos. São inspiradas em sonhos?
Sim. Eu sonho, acordo, tomo nota do que sonhei e depois enceno esses sonhos e incluo-me neles.

Por que se inclui em todas as fotografias?
São os meus sonhos. Se eu encenasse os seus sonhos, incluiria uma imagem sua nessas fotografias.

E por que está nua?
Nos meus sonhos estou sempre nua.

Mas não há nisso também alguma vaidade? Gosta de se ver?
Tem razão, sou vaidosa. Gosto de me ver. Fui uma adolescente atormentada. Era mais alta que todas as minhas amigas e muito, muito magra. Além disso, nunca tive um rosto bonito. Continuo a achar a minha cara um pouco estranha, o nariz grande demais, as maçãs do rosto exageradas, mas agora sei como usar essa estranheza a meu favor. Naquela época chorava. Odiava o meu rosto. Odiava o meu cabelo. Até aos vinte anos esticava-o. Um dia cansei-me disso e passei a deixá-lo crescer

naturalmente. Hoje, as pessoas reparam em mim porque sou alta, mas sobretudo em razão da minha cabeleira, do meu nariz arrogante, das maçãs do meu rosto. Gosto de usar turbantes de cores garridas. Uso os turbantes de forma a combinarem com a roupa. Eu mesmo desenho a roupa que visto. Inspiro-me muito nos padrões *ndebele*. Pinto as unhas de azul, de verde, de cores berrantes, para que as pessoas não reparem apenas no cabelo. As pessoas, contudo, reparam mais no cabelo do que nas mãos. Escuto elogios ao meu cabelo todos os dias. Também escuto insultos, há gente estúpida em toda a parte.

Voltemos às suas fotografias. Parecem paisagens...
Ouço muito isso. Não é uma observação que me agrade. As paisagens atravessam-se, percorrem-se, não as vivemos. Quando as paisagens nos ferem, ou nos comovem, ou nos indignam, deixam de ser paisagens e tornam-se acontecimentos. Eu gostava que as minhas fotografias, os meus óleos, fossem acontecimentos. Quero que a minha obra fira, comova, que irrite quem a veja. Ontem mesmo perguntei ao Hugo se aquilo que faço é necessário:
"Achas que a minha obra é supérflua?".
Hugo olhou-me, assustado. Ele é um homem grande, muito grande mesmo, um gigante com ombros largos, costas sólidas, braços poderosos. Um homem grande, quando está assustado, parece mais assustado do que um homem minúsculo:
"Não! A tua obra é necessária", assegurou-me.
"Por quê?"
"Porque nos confronta com os nossos terrores mais íntimos."
Hugo, como disse antes, tem um veleiro. Leva turistas para que mergulhem entre tubarões. Os turistas afundam-se no mar, fechados dentro de gaiolas. Pagam para experimentar o medo, embora não corram risco algum. Em dez anos, houve

um único problema, uma ocasião em que um jovem americano saiu da gaiola, querendo mostrar que não temia os tubarões. Hugo esperou que o rapaz voltasse ao convés. Então, sem um grito, sem pronunciar uma palavra, deu-lhe duas chapadas.

"Terrores, quais terrores?", perguntei-lhe.

"Os sonhos", Hugo gaguejou, nervoso. Sempre que fica nervoso começa a gaguejar: "Todo o teu trabalho anda à volta dos sonhos, não é?".

"Sim, sonhos, os meus sonhos. Os meus sonhos são assustadores?"

"Todos os sonhos são assustadores porque são íntimos. São o que temos de mais íntimo. A intimidade é assustadora."

Hugo diz coisas acertadas. E você, o que pensa do meu trabalho?

Há-de dizer-me um dia. Entretanto, agradeço-lhe a simpatia. Não precisa devolver-me o aparelho. Mande-me as fotos dos tubarões por correio eletrônico, apenas como recordação daquela tarde de grandes sustos.

Se visitar Cidade do Cabo, terei muito gosto em o receber no meu estúdio.

Tudo de bom,

Moira》

11.

Quando era criança, poucas semanas antes de completar doze anos, matei um gato. Até hoje não sei porque o fiz. Vi o gato estendido em cima do muro, à sombra do abacateiro. Era um animal bonito, com um pelo negro e lustroso. Lembro--me de que a luz caía a prumo, atordoando a tarde. Durante muitos anos atribuí o meu gesto ao excesso de luz. Como se o brilho do sol, o céu alto, resplandecente, me autorizasse a matar. A minha intenção era subir ao abacateiro, ficar lá em cima a observar o mundo, como costumava fazer, mas então reparei no gato. Um dos meus irmãos deixara uma espingarda de pressão encostada ao tanque da roupa. Agarrei na espingarda, fiz pontaria à cabeça do animal e disparei. O gato caiu. Tive um instante de pânico. Imaginara-o a saltar, miando alto. Nunca pensara que um minúsculo chumbo o matasse. Não o queria matar. Olhei em redor. Ninguém por perto. A avó estava doente, no hospital. O pai fazia a sesta, no escritório. Os meus irmãos deviam estar lá dentro, a brincar. A mãe a lavar a louça. Cutuquei o cadáver com o cano da arma. Não houve reação. Agarrei nele, agoniado, e lancei-o para o outro lado do muro. Do lado de lá não havia nada, apenas um enorme descampado coberto de capim.

Nunca ninguém descobriu o meu pequeno crime. Nas tardes seguintes, depois do almoço, costumava galgar o muro e espreitar o gato. Vieram as formigas. Eram tantas, trabalhando dentro do cadáver, desmontando-o, que o gato parecia arquejar, como se estivesse vivo. Isso durou uns três dias. Quando as formigas se foram embora já não havia gato. O que sobrava dele estava para um gato como uma luva para uma mão. O sol fez o resto.

Penso muito naquele gato.

— Já reparou que o sol que dá cor às romãs, ou brilho à pele após uma tarde na praia, é o mesmo que amarela e apaga as fotos da nossa juventude? — perguntei a Hossi. — A luz realça as cores de tudo o que vive e desbota o que não é animado. O sol acende os vivos e apaga os mortos.

— Portanto, você carrega um morto! — concluiu o hoteleiro, desdenhando toda a minha trabalhosa filosofia. — Não sou apenas eu. Também você tem os seus cadáveres.

Olhei-o, irritado:

— Caramba, Hossi! Era apenas um gato!

— Um gato, um soldado, uma criança, cada morto tem o peso que a nossa consciência lhe dá. Esse gato morto pesa mais para você do que para muitos generais que eu conheço pesa um povoado inteiro arrasado a tiro e à catanada.

Decidira voltar a Cabo Ledo para lhe mostrar a mensagem de Moira. Encontrei o hoteleiro na praia, a pescar. Sentei-me ao lado dele. Falei-lhe da máquina fotográfica que encontrara ali mesmo, naquele mar tão bonito, das estranhas fotos, e da artista sul-africana que as realizava.

— Também ela tem sonhos invulgares. Trabalha com sonhos. Não acha uma coincidência extraordinária? — disse-lhe eu.

— Em primeiro lugar eu não sonho. Eu sou aquele com quem os outros sonham. Em segundo lugar, a maioria das pessoas tem sonhos muitíssimo estranhos. Os sonhos são estranhos. Se não forem estranhos talvez não sejam sonhos.

— Não me chateie. Você está sempre a dizer que não sonha, mas quando me contou a história de Cuba disse-me que na mata costumava sonhar com as pessoas que matou e que viu morrer. Disse-me que sonhava com um tal capitão Petrus...

— Ah, o capitão Petrus! Eu falei-lhe do Petrus?

— Falou.

— Eu sonhava, sim, antes de apanhar com os dois raios, sonhava bastante. Depois nunca mais sonhei. Ou sonho pouco. Ou sonho, mas não me lembro dos sonhos.

— Seja como for. Você entendeu muito bem o que eu quis dizer. Sabe no que tenho andado a pensar?

— Não, e nem quero saber.

— Você conhece a origem da palavra xamã?

— Não.

— Os xamãs, como os nossos quimbandeiros, exercitam-se para sonhar. Usam os sonhos para compreender o mundo. A palavra xamã vem de uma língua do leste da Sibéria, significando aquele que vê no escuro.

— Xamã, aquele-que-vê-no-escuro?! Isso é o que eu chamo poder de síntese. — Hossi recolheu a linha. Pousou a vara na areia e voltou-se para mim com os olhos brilhantes de raiva. — E então, camarada?! Agora você vai dizer que somos uma espécie de quimbandeiros, eu, você, essa mulher?!

A reação dele assustou-me. Não soube o que dizer. Hossi continuou, com um sorriso torto:

— Aberrações, é o que nós somos. Eu e você. A sua amiga, um pouco menos do que nós. Pelo menos encontrou maneira de ganhar algum dinheiro com aquilo com que sonha. — Levantou-se de um salto, recolhendo a linha e desmontando a vara.

Levantei-me também. Sacudi a areia das calças:

— Posso fazer-lhe uma pergunta?

— Perguntar pode, eu decido se respondo.

— Você disse-me que era vegetariano. Achei estranho encontrá-lo a pescar.

— Se você prestasse atenção a tudo à sua volta, como um jornalista deve fazer, teria percebido que eu não uso anzol.

Era verdade. Na ponta da linha havia um chumbo, mas não anzol. Ri-me:

— Por que faz isso?

— Gosto de estar à pesca. Não gosto é de pescar. Podia gostar de pescar e ser vegetariano. Uma coisa não tem nada a ver com a outra. Mas não gosto. Compro o peixe aos pescadores. Aqui mesmo ao lado, como você deve ter visto, há uma aldeia de pescadores. O peixe que você come é pescado por eles. Agora venha comigo. Vou mostrar-lhe uma coisa.

Caminhou até o bangalô amarelo. Convidou-me a entrar. Todas as paredes do pequeno espaço estavam cobertas por estantes, do chão ao teto, feitas à medida, em boa madeira. As prateleiras carregavam dezenas de caixas e dossiês. Reparei numa pequena estatueta em madeira. Agarrei-a curioso:

— Nunca vi nada assim...

Hossi arrancou-me a estatueta das mãos.

— É o meu irmão gêmeo, Jamba. Era militar, como eu, mas combatia do lado do governo. Morreu há muitos anos. Na nossa tradição, como você deve saber – porque você é mulato, mas ainda é dos nossos, é um bastardo ovimbundo –, quando um dos gêmeos morre, o que sobrevive guarda uma representação do falecido.

Voltou a colocar a estatueta na prateleira de onde eu a retirara. Ofereceu-me uma das duas cadeiras, escolheu um dossiê e só depois se sentou.

— Você tinha um irmão gêmeo? — perguntei admirado.
— Sim, já lhe disse.
— Espere um momento. Você estudou no Monte Olimpo?
— Sim. Eu e o meu irmão.
— Santo Deus! Fomos colegas! Lembro-me de vocês, os gêmeos.
— Porque éramos gêmeos ou porque éramos os únicos pretos?!
Na época eu ainda não sabia muito bem que era mulato. Não sabia o que era um branco. Não sabia o que era um preto. Lembro-me de Hossi e de Jamba porque eram gêmeos e passavam o tempo enganando os colegas e os professores. Um deles, não sei se Hossi ou se Jamba, tinha mais resistência à dor do que o irmão, ou era mais altruísta, e oferecia-se para apanhar em lugar do outro. Hossi surpreendeu-se por eu me lembrar daquilo:
— É verdade. Eu fazia as asneiras e o Jamba apanhava por mim. Aquela professora, como se chamava ela...?
— Tarsila...
— Isso: Tarsila Zarvos. Uma mulher muito brava. Grande nacionalista, você sabe que eu e o meu irmão não pagávamos nada? E aquele colégio devia ser caro. Não pagávamos nada porque o meu tio foi preso, por ligações aos nacionalistas. Esteve preso com um irmão dela. Ficaram amigos. Ela nos batia muito ou, melhor, batia ao Jamba. O coitado chegou a levar trinta reguadas seguidas. Ficava com as mãos inchadas.
— Eu também apanhei. Ainda hoje tenho pesadelos com aquela régua.
— Lembro-me da régua. Não me lembro é de você.
— Eu era um miúdo apagado. Ninguém se lembra de mim.
Ficamos um bom tempo a recordar a escola. Uma memória puxando a outra. Finalmente, Hossi abriu o dossiê:

— Veja isto. Tenho aqui vários recortes de jornais que lhe podem interessar. Leia esse. Leia a parte que sublinhei.

Li: "Thathánka Íyotake (Touro-Sentado), chefe dos índios lakota nadouessioux, era membro da Sociedade Onírica do Bisonte, ordem secreta de sonhadores místicos, que se dedicavam à premonição. Thathánka Íyotake explicava as suas vitórias dizendo que discutia as estratégias de combate, em sonhos, com um imenso bisonte branco. Esse bisonte branco era Deus".

Não consegui evitar uma gargalhada:

— A mim parece-me mais fácil imaginar Deus como um bisonte branco do que como um imenso invertebrado gasoso, para citar Aldous Huxley. Também é preferível sonhar que se conversa com um bisonte branco do que com um imenso invertebrado gasoso.

Hossi tirou-me o dossiê das mãos. Folheou-o rapidamente:

— Agora leia este.

Li: "Evaldson Bispo dos Santos vive numa pequena cidade de Minas Gerais, São Francisco, a quinhentos e trinta quilômetros de Belo Horizonte. Nasceu e foi criado na maior pobreza. Como gostava de cirandar sem rumo pela cidade começaram a chamar-lhe Galinha Tonta. O nome ficou. Certo dia, tinha então sete anos, bateu à porta de uma casa a pedir comida. A empregada deixou-o entrar. Ofereceu-lhe uma sopa. Ao encontrá-lo no quintal, instantes depois, a proprietária avançou contra ele, aos gritos, chutou a tigela em que ele comia e expulsou-o.

"Galinha Tonta regressou choroso ao barraco em que vivia com os pais. Nessa noite sonhou com três crianças: um japonês, Toshio; um alemão, Hans; e um inglês, Paul. Os três meninos apresentaram-se e explicaram-lhe que iriam ensiná-lo a falar e a escrever nos respectivos idiomas. Decorreram meses.

Todas as noites os meninos compareciam para as lições. Um dia a mãe escutou-o a falar línguas estranhas. Crente que o demônio tomara conta da criança levou-o à igreja. O padre, de origem alemã, assustou-se ao ouvi-lo. Galinha Tonta era capaz de se comunicar em alemão e até escrevia algumas palavras. Contudo, não sabia escrever em português.

"Toshio, Hans e Paul continuaram a frequentar os sonhos de Galinha Tonta nos quinze anos seguintes, crescendo com ele, ajudando-o a aperfeiçoar as três línguas. Hoje, Galinha Tonta ensina essas mesmas línguas a pessoas que não têm dinheiro para frequentar escolas particulares. Em 2004 aceitou contar a sua história num programa de televisão de grande audiência. O programa levou-o a escolas de línguas, em São Paulo, nas quais Galinha Tonta exibiu os seus conhecimentos a professores alemães e japoneses. Segundo o professor japonês, um aluno normal teria de estudar no mínimo duas horas e meia por semana, durante cinco a seis anos, até conseguir alcançar o nível de Galinha Tonta".

Fechei o dossiê, espantado. Hossi aproximou o rosto do meu:

— Então? O que me diz?

— O que lhe digo?! Para quem não se interessa por sonhos, você fez um bom trabalho.

Hossi agradeceu com um leve aceno de cabeça:

— É o que sei fazer. Recolher informações. Isso não significa que acredite em tudo o que leio. Significa que sou uma pessoa curiosa. Quando é que você vai a Cidade do Cabo?

— Quando vou?

— Você vai, não é assim?

— Não pensei nisso.

— Claro que pensou. Vá lá, fale com a mulher. Isso começa a ficar interessante.

12.

Moira Fernandes morava numa casa espaçosa, pintada de verde-seco, com uma larga varanda a toda a volta e um pequeno jardim nas traseiras. O piso da varanda, em cerâmica, formando desenhos geométricos, em tons de azul, trouxe-me memórias de infância. Na cozinha, na casa do Huambo, o piso era idêntico. Ou talvez não fosse, mas é assim que o imagino. Os meus irmãos e eu passávamos muito tempo sentados à mesa da cozinha. A avó preparava-nos o lanche, depois que retornávamos da escola: limonada com limões colhidos no próprio quintal, bolo e torradas. Lembrei-me da luz que deslizava através da porta aberta e se estirava, rebrilhando, no azul-celeste.

    Moira colocara duas espreguiçadeiras amarelas na parte da frente da varanda. Foi ali que a encontrei. Adormecera, com um livro aberto no regaço. Sorria. Fiquei um longo momento a contemplá-la. Era como se já tivesse vivido aquele preciso instante. A última luz da tarde morria na cabeleira dela. A pele irradiava um brilho cor de mel. Tossi. Ia dizer alguma coisa. Então ela abriu os olhos e encarou-me:

    — Desculpe — disse eu, um pouco aflito. — Chamo-me Daniel Benchimol. Estou à procura de Moira Fernandes.

Moira pousou o livro numa mesinha, junto à cadeira, e ergueu-se. Era ainda mais alta do que nos meus sonhos.

— Daniel? O portão está aberto. Entre e suba...

Enquanto subia os cinco degraus que me separavam dela, enquanto estendia a mão para a cumprimentar, voltei a experimentar a sensação de que já vivera tudo aquilo. Moira era e não era a Mulher-dos-Cabelos-de-Algodão-Doce com quem eu sonhara tantas vezes. Parecia-me, de repente, uma falsificação, uma cópia um pouco rústica da mulher dos meus sonhos. Esforcei-me por controlar a desordem que ia dentro de mim. Ela franziu as sobrancelhas, numa manifestação involuntária de estranheza:

— Você está bem?

Tentei ver-me através dos olhos dela. Um homem de estatura um pouco acima da média, moreno, com uma cabeleira vigorosa, quase tão insubmissa quanto a dela, porém negra, muito negra, e uma barbicha grisalha a alongar-lhe o queixo. Nessa tarde, no hotel, tinha escolhido uma das minhas camisas favoritas, de um azul-petróleo, e calças de ganga pretas. Talvez as minhas mãos tremessem, talvez fosse a minha voz, o que sei é que Moira estranhou o nervosismo. Entrei na sala, fingindo prestar atenção às enormes fotografias emolduradas, umas presas às paredes, outras no chão, encostadas às estantes.

— Gosta das minhas fotografias?

Voltei-me para ela:

— Gosto. Gosto do seu trabalho e gosto de você. Você é uma mulher muito bonita, muito corajosa.

— Obrigada. Não sei o que dizer. Fico feliz.

— Gosto das fotografias, mas não sei se compreendo o sentido.

— O sentido?! Não procuro algo que faça sentido. Pelo contrário, quero algo que desfaça o sentido comum das coisas.

Fiquei calado. Sentei-me numa poltrona de couro, que parecia estar ali há mais tempo do que a própria casa, e logo um gato preto me saltou para o colo. Moira riu-se:

— Não se assuste. Nem comigo, nem com o gato. A propósito, chama-se Morfeu.

— Morfeu?!

— Bem sei, não é muito original. Acha que não tenho imaginação?

— Não, não! Não quis dizer isso. Você só pode ser acusada de ter imaginação a mais, nunca a menos. Eu também vivo com um gato. O meu chama-se Baltazar.

Moira sentou-se num banco de cozinha, pintado de vermelho e amarelo, diante de mim. Olhou-me séria:

— Então você é angolano?

— Sim.

— Um angolano judeu?

— Não sou judeu. Sou um angolano de ascendência judaica, mas na minha família há várias gerações que ninguém sabe o que isso significa. Além disso, herdei o nome do meu pai. A minha mãe chama-se Vagamundo, um sobrenome muito incomum. Mas não me parece que seja um nome judeu.

— Compreendo. Você parece judeu. Em todo o caso, parece mais judeu ou árabe do que angolano.

— Como?!

— Desculpe. Estava a brincar. Eu sei que vocês em Angola têm uma certa tradição de mestiçagem. Eu nasci em Maputo, mas sou da Ilha de Moçambique. Lá, na Ilha, também temos muita mistura. Eu mesma sou em parte negra, em parte árabe, em parte indiana. Tenho até um bisavô português.

Abri a mochila e tirei a máquina fotográfica amarela, que encontrara a flutuar, semanas antes, em Cabo Ledo. Estendi a máquina a Moira:

— Vim devolver-lhe a sua câmara.

Moira pousou a máquina no chão, ao lado do banco, num gesto distraído.

— Não. Não veio por causa disso. Por que veio?

Não conseguia soltar os olhos dos dedos dela. Moira pintara as unhas de um azul intenso, nervoso. Cada vez que movia as mãos, as unhas arranhavam o ar.

— Os sonhos! — confessei. — Vim falar-lhe de sonhos.

Moira endireitou-se. Pousou as mãos no colo, escondendo as unhas, e só então fui capaz de erguer os olhos.

— Você sonha? Acho que atraio sonhadores.

— Toda a gente sonha. Eu sonho com vidas de pessoas. Às vezes, vejo-as nascer. Vejo-as atravessar os anos. Vejo-as morrer.

— Parece interessante.

— Não é só isso.

— Não é só isso? Deixe-me adivinhar, você sonha com pessoas que realmente existem?

— Sim, pessoas que existem ou que existiram.

— Sem conhecer tais pessoas?

— Algumas delas venho a conhecer. Por exemplo, sonhei consigo. Sonhei que você me dizia aquilo que me disse há pouco.

— O que lhe disse eu?

— Que procura algo que desfaça o sentido das coisas. No meu sonho você estava num jardim. Falava comigo, num jardim, e dizia-me isso, que com as suas fotografias, com as suas telas, não pretendia alcançar um sentido, que queria ver as coisas pelas costas, ou pelo avesso, que queria desfazer o sentido habitual das coisas.

— O que havia nesse jardim?

— Orquídeas. Lembro-me de que havia orquídeas.

— Sim, orquídeas ficam bem em qualquer sonho. Você sabe que está a sonhar se aparecer uma orquídea no seu sonho. Quando as orquídeas ocupam a realidade, esta torna-se um pouco menos real. Eventualmente, um pouco mais perfumada. Embora existam orquídeas que cheiram a carne podre. Há orquídeas simpáticas e orquídeas antipáticas, mas todas elas têm em comum um certo grau de insensatez. Por isso gosto tanto delas. Há que enlouquecer a realidade.

— E os ornitorrincos?

— Tem razão, os ornitorrincos parecem fugidos dos sonhos de Salvador Dalí. Não sei como há pessoas que não acreditam em Deus, mas acreditam em ornitorrincos. Você acredita?

— Nos ornitorrincos?

— Sim.

— Não. Não acredito nem em Deus nem nos ornitorrincos.

Rimo-nos os dois. Tudo é possível depois que um homem e uma mulher riem juntos pela primeira vez. Moira olhou-me curiosa:

— Diga-me, falou dos seus sonhos a mais alguém?

— Tenho um amigo, lá em Angola. Um antigo guerrilheiro. Ele contou-me uma história na qual é difícil acreditar. Uma história que envolve sonhos. Conversamos muito.

— Que história?

— O meu amigo não sonha. Ele diz que não sonha. As outras pessoas sonham com ele. Pessoas que nunca o viram, que não o conhecem. Hossi, ele chama-se Hossi, aparece nos sonhos dessas pessoas. Passa por esses sonhos, mas quando acorda não se lembra de nada. Passa pelos sonhos dos outros como um sonâmbulo.

Moira levantou-se. Vestia um corpete azul, em cetim, muito justo, e uma saia em tricô, aos quadrados vermelhos, amarelos e negros, que lhe desenhava as ancas largas. Os olhos intensos, cor de mel, intimidavam-me.

— Vou fazer um chá. Bebe chá?

— Sim, claro.

— Venha comigo.

Atravessamos um corredor comprido, bem iluminado, ao longo do qual se sucediam fotografias de sonhos. Era como uma galeria de bichos empalhados. Uma galeria de bichos mortos, cuidadosamente preparados de forma a parecerem vivos. O corredor desembocava numa cozinha moderna, com vidraças amplas que davam para um pequeno jardim. A primeira coisa em que reparei foi nas orquídeas. Havia pelo menos uma dúzia de orquídeas, presas aos muros ou agarradas ao tronco rugoso de uma enorme laranjeira.

— As orquídeas...

— Sim, você acertou quanto às orquídeas. Talvez as tenha visto numa das minhas fotografias. Há várias fotografias minhas em que aparecem essas orquídeas. Essas ou outras, tanto faz.

A forma como disse aquilo incomodou-me.

— Tem razão, deve ter sido assim.

Moira colecionava chá. Tinha dezenas de frascos cheios com vários tipos de folhas. Escolheu um deles, tirou um pouco com uma colher e colocou-o dentro de um infusor. Pôs água a aquecer numa chaleira. Depois que o chá ficou pronto convidou-me a passar para o jardim. Sob a sombra perfumada da laranjeira havia uma mesa de ferro, quadrada, ao estilo marroquino, com embutidos em cerâmica azul e branca. A laranjeira estava cheia de flores. Eu nunca vira uma laranjeira tão alta e tão frondosa.

— Vou contar-lhe uma coisa — Moira baixou a voz, ao mesmo tempo que me servia o chá. — É o primeiro jornalista a quem estou a contar isto. Escuso de acrescentar que não estou a falar com o jornalista, estou a falar com o sonhador.

Cocei a barba:

— Pode ficar tranquila. Não estou aqui como jornalista.

— Tenho recebido mensagens de pessoas que visitaram exposições minhas e que reconhecem, ou se reconhecem, em alguns dos meus sonhos. Hossi, o seu amigo, é sonhado por outras pessoas, mas não se recorda dessas incursões. No meu caso é como se eu andasse sonhando os sonhos de outros, embora eles não deem por mim. Se o seu amigo é um intruso sonâmbulo, como você disse, eu sou uma testemunha invisível, como um observador de pássaros.

— Como um observador de pássaros?

— Sim, fico oculta, a estudar os sonhos que pousam perto de mim.

Baixei os olhos para o chá. Juntei uma colher de mel, e o líquido, de um vermelho forte, ganhou um tom crepuscular. Provei-o, tentando adivinhar de que seria feito. Rooibos. Tangerina. Pareceu-me uma boa mistura.

— O seu caso é mais fácil de explicar do que o do Hossi — disse-lhe. — Talvez muitas pessoas tenham sonhos semelhantes aos seus. Apenas isso.

— Sim, é possível. Mas você viu as minhas fotografias, viu as minhas telas, não viu?!

— Tem razão, os seus sonhos são muito originais. Além disso, têm estilo, uma linhagem, como se fossem filhos uns dos outros.

— É o que penso. Sou uma aberração.

Soltei uma gargalhada:

— Hossi disse-me que tanto ele como eu éramos aberrações. Você não. Você ganha dinheiro vendendo os seus sonhos. É uma artista de sucesso. Um artista de sucesso é um louco que consegue rentabilizar a própria loucura. Ou seja, não é um louco.

Moira riu-se:
— O seu amigo deve ser um tipo interessante.
— Consigo imaginar uma outra possibilidade.
— Que possibilidade?
— Ouça, estou a pensar alto, é uma ideia maluca...
— Que bom! Gosto de ideias malucas.
— Talvez aconteça o contrário. Talvez você esteja disseminando os seus sonhos.
— Como um vírus?
— Como um vírus. Ou como a antena de uma emissora de rádio. Você difunde os seus sonhos, e algumas pessoas, que estão em sintonia consigo, captam esses sonhos. Sonham esses sonhos.

Moira voltou a rir-se, agora com mais prazer:
— Gosto. Sonhos em sincronia. Como os corações dos cantores nos grupos corais, que tendem a bater em uníssono, diminuindo e aumentando o seu ritmo consoante a estrutura da música. Ou como aquelas mulheres que vivem sob o mesmo teto, as freiras nos conventos, as prostitutas nos bordéis, as jovens estudantes nas residências universitárias, essas mulheres tendem a sincronizar o ciclo menstrual. Acredita-se que certas mulheres de forte personalidade, as fêmeas alfa, induzam as restantes, através de instruções químicas, a seguir o seu ciclo. Você acha que eu sou uma sonhadora alfa?

Preparou outro chá. Trouxe torradas e scones. A noite veio deslizando ao longo da encosta da Table Montain, calando pássaros, acordando cigarras, mas nem eu nem ela nos apercebemos de que o ar se fora esvaziando de luz. Foi só quando Moira se levantou para ir buscar à sala um catálogo da sua última mostra que, de repente, tropeçou na assombrada cegueira do crepúsculo.

— Santo Deus, já é quase noite.

Levantei-me de um salto, derrubando a cadeira. A laranjeira agitou-se e uma minúscula chuva de flores brancas encheu o ar de um perfume doce:

— Desculpe, Moira, não queria tirar-lhe tanto tempo.

Ela estendeu-me a mão:

— Você não é dos que tiram, é dos que acrescentam. Dê-me a mão, que eu levo-o para dentro.

Segurei-me ao brilho azul dos dedos dela e fui.

13.

Sonhei que Moira estava estendida de lado, enlaçada às minhas pernas, como uma orquídea ao tronco de uma árvore, enquanto movimentava a cabeça, devagar, para cima e para baixo. A cabeleira alta brilhava na penumbra. Atrás dela erguia-se a cabeça de um dragão cuspindo fogo. Acordei com o coração aos saltos. Levantei-me e fui lavar o rosto. Amanhecia. Nesse momento tocou o telefone. Era ela:
— Acordei-o?
— Sim, de certa forma...
— De certa forma?
— Não, não me acordou.
— Já comeu?
— Não.
— Então, deixe-me apresentá-lo às melhores tostas da cidade. Dentro de meia hora estou à frente do seu hotel. Podemos ir a pé.
Levou-me ao Malecón, em Long Street, um espaço com janelas altas e largas, um magnífico soalho em madeira corrida, fotografias de Havana por todo lado. Uma das paredes exibia um retrato enorme de Che Guevara fumando charuto. Senti-me transportado para a ilha caribenha não por causa das

imagens, mas em razão da luz, que, ao atravessar as vidraças, ganhava um vivo tom dourado. Lembrei-me de uma luz semelhante, há muitos anos, num entardecer de dezembro, depois que fugi de uma conferência de imprensa para me encontrar com uma jovem ativista no Malecón. Fecho os olhos e volto a ver, diante de nós, o oceano azul e, às nossas costas, os belos palacetes em ruínas. Tinha ido a Cuba acompanhar a visita de um grupo de antigos combatentes e acabei publicando uma reportagem num jornal português sobre prostituição infantil em Havana.

Vieram as tostas, com ovo estrelado, bacon e queijo.

— São boas — reconheci. — Quase tão boas quanto as da minha avó.

Terminei uma e pedi outra. Já mordia a terceira quando uma ideia me iluminou. Chamei o empregado:

— Diga-me, o proprietário deste estabelecimento é cubano?

O empregado, um jovem alto, com um largo e sólido carão de cavalo, cabelo muito espesso, cortado rente, confirmou com um leve aceno de cabeça:

— Chama-se Juan Miguel.

— Podemos falar com ele?

Juan Miguel surgiu instantes depois, enxugando ao avental as mãos enormes e compactas. Pareceu-me meio estremunhado, meio deslocado, no falso entardecer daquela belíssima manhã de domingo. Felicitei-o pelo charme do estabelecimento e pela qualidade da comida. Disse-lhe que estivera em Cuba, em várias ocasiões, e que deixara na ilha grandes amigos. Perguntei-lhe se por acaso conhecera uma psicóloga a quem todos chamavam Floco de Neve.

— Elena! — O cubano sorriu. — Elena Ribas. Uma mulher tão generosa! Não devia ter morrido daquela maneira.

— Morreu? Morreu como?!

— Desculpe, você não sabia? — Juan Miguel olhou para as próprias mãos, espantado, assustado, como se as estivesse vendo naquele instante a brotar dos grossos pulsos. — Elena foi atacada numa noite, já bem tarde, quase de madrugada, à saída do hospital. Vagabundos, bêbados, talvez os próprios malucos que ela andava a tratar, não sei. Nunca se soube. Na verdade, nem interessa muito saber quem foi. Violaram-na. Cortaram-lhe o pescoço.

Fiquei sem fala. Moira recostou-se na cadeira e fechou os olhos. Juan Miguel despediu-se e regressou à cozinha. Nessa tarde, enquanto passeávamos em Sea Point, contei-lhe a história de Hossi, desde o momento em que fora atingido por dois raios até a estranha saga, em Havana, onde conhecera Floco de Neve. Se a psicóloga realmente existira, talvez todo o resto também fosse verdade. Moira troçou de mim:

— Você acredita que uma única verdade pode tornar real uma ficção inteira? Ah, você é um homem muito ingênuo. Um homem de cinquenta anos não pode ser tão ingênuo.

— Cinquenta e cinco.

— Pior ainda.

— Então não acredita na história do Hossi?

— Ele acredita em ornitorrincos?

— Hossi? Duvido...

— Um homem com tanta imaginação e não acredita em ornitorrincos?

— Não sei se o Hossi tem assim tanta imaginação...

— Não?!

— Não.

Silêncio. A luz atravessando as vidraças.

14.

Sonhei com Deus e Deus era um cão velho, latindo na escuridão. Deus era as aves vagando sem rumo num céu remoto. Deus era as orquídeas no pequeno quintal da casa de Moira. Deus era tudo, e era indiferente a tudo, como a Table Montain. Disse-me Deus: "Conforma-te. Não haverá luzes brilhando, nem um jardim que te receba. Ninguém te dará a mão depois do fim".

Moira não se mostrou impressionada:

— Ecos. Sonhos são sempre ecos de alguma coisa! — comentou.

Fazia muito sol. Suávamos os dois, enquanto subíamos a montanha. A proposta fora minha. Moira tentou demover-me:

— Vivo aqui há anos e só estive lá em cima uma única vez. Nunca fui a pé. Por que queres ir a pé?

— Pela sensação de triunfo.

— Triunfo?! Achas que, se subirmos até lá acima, a pé, triunfamos sobre a montanha?

— Não, não. Triunfamos sobre a nossa própria indolência.

Moira sorriu:

— Estou em paz com a minha indolência. A preguiça é a mãe de toda a arte.

Por fim, convenci-a. Apesar do sol abrupto, violento, havia bastante gente escalando as pedregosas e empoeiradas trilhas. Aquela que seguimos corria junto a uma parede quase vertical. Ao fim de hora e meia paramos numa larga concavidade aberta na rocha, a poucos centímetros do precipício. Dali avistava-se boa parte da cidade, as casas, os feios prédios, como peças de Lego tombadas em desordem pelo vale, até a baía, lá muito ao fundo, e depois o calmo azul do mar.

Foi então que me lembrei do sonho.

— Vi o meu pai morrer. Dei-lhe a mão enquanto morria. Pouco antes de morrer ele disse alguma coisa sobre o mar, sobre o brilho do mar. Gosto de pensar que a minha mãe o recebeu do outro lado.

— Ao mesmo tempo tens medo de que não haja nada. Nenhum outro lado.

— Claro. Não temos todos?

— Eu acho consolador não haver nada.

— Consolador?

— Tranquilizante. Ninguém para nos julgar. Nenhum dever para cumprir. Fechamos os olhos e é o grande silêncio, o infinito nada. O fim.

Continuamos sentados, suando. Moira pousou a mão na minha, enlaçou os dedos nos meus:

— O silêncio é bom.

— O silêncio é bom durante uns momentos. Quando se prolonga por muito tempo deixa de ser silêncio e passa a ser surdez.

Aproximei o rosto do dela. Ia beijá-la. Mas então Moira retirou a mão e levantou-se:

— Vamos!

Um homem surgiu, em passo de corrida. Vestia uns calções curtos e uma camiseta estampada com folhas de liamba sobre um fundo preto. Os sul-africanos orgulham-se da diversidade étnica do seu país, a Nação do Arco-Íris etc. etc., e têm motivos para isso. Gosto de me sentar ao fim da tarde, num café qualquer, na Long Street, olhando a rua, porque é como se estivesse a assistir a um desfile da raça humana. Contudo, bastou-me um rápido olhar ao desconhecido para perceber que ele não nascera em chão africano. Havia na sua figura qualquer coisa que o fazia estrangeiro, ainda que a pele morena e o cabelo encrespado denunciassem uma mais do que provável ascendência africana. Deteve-se, surpreso, ao ver Moira. Estendeu-lhe a mão:

— Desculpe, é a Moira Fernandes? — Moira confirmou, um pouco admirada. — Coincidência extraordinária. Andei procurando você. Vim a Cidade do Cabo para um congresso médico. Alguém me mostrou um documentário sobre o seu trabalho.

O homem era um pouco mais baixo do que ela. Tinha uma voz grave e macia. Reconheci o sotaque: Minas. Ele estreitou a minha mão num aperto firme:

— Hélio de Castro.

— Você é mineiro? — perguntei.

— Você também?

— Não, não, eu sou angolano.

— Maravilha. É o primeiro angolano que conheço — voltou-se para Moira. — Fui ver uma exposição na The Cape Gallery. Tem muitas fotografias suas. Fiquei encantado. Eu sou neurocientista. Trabalho com sonhos.

— Devíamos fundar a República dos Sonhadores — disse Moira. Hélio acolheu a ideia com uma gargalhada. — Um império! Sejamos imperialistas! Podem contar comigo.

Fizemos o resto do percurso na companhia dele. O homem galgava as trilhas sem esforço aparente. Permanecia leve e fresco, alheio ao calor e à poeira, como se deslizasse ao longo dos corredores climatizados de um shopping center. Descemos os três no teleférico.

— Venha tomar um chá em minha casa — convidou Moira.

— O Hélio deve estar cansado — ouvi-me dizer.

— Não, não. Estou muito bem. Caminhar não me cansa, pelo contrário, me revigora. Um chá seria maravilhoso. E poderemos conversar melhor.

Foi assim que nos achamos os três, alguns minutos mais tarde, sob a copa florida da enorme laranjeira. Hélio serviu-se do chá. Elogiou a beleza das orquídeas. Por fim, pousou a chávena na mesa e sorriu para Moira:

— Como estava dizendo, trabalho com sonhos. Comecei a me interessar pelo papel dos sonhos enquanto fazia o meu doutoramento nos Estados Unidos. Pesquisei a representação do canto dos pássaros no cérebro. Nada a ver com sonhos. Acontece que nos primeiros meses eu dormia quinze horas seguidas. Estava sempre com sono. Sonhava muito com questões ligadas à tese. Achei que o meu corpo estava me traindo. Contudo, após esse tempo, a minha tese começou a fluir e eu compreendi que, pelo contrário, os sonhos haviam me ajudado.

— O que está a dizer é que os sonhos nos ajudam a organizar o pensamento? — perguntou Moira.

— Mais do que isso. Sonhar é ensaiar a realidade no conforto da nossa cama. Há um estudo curioso sobre sonhos de mulheres que se divorciaram. Primeiro elas sonhavam que estava tudo bem no casamento. A seguir começaram a sonhar com a morte dos maridos. Algumas viam-se matando os maridos. Então divorciaram-se.

— Espero que nenhuma delas tenha realmente matado o marido — comentei.

Hélio ignorou a minha observação:

— Infelizmente, as pessoas deixaram de valorizar os sonhos. Precisamos devolver ao sonho a sua vocação prática.

— O que significam os meus sonhos? — quis saber Moira.

— Não sei. Isso só você pode saber. Os sonhos têm a ver com a experiência emocional de cada um.

— Que interesse tem para você a minha obra?

— O que você está fazendo com as suas fotografias é tentar traduzir os sonhos em imagens. No Laboratório do Sonho, onde eu trabalho, tentamos conseguir algo semelhante. Desenvolvemos uma tecnologia que nos permite espreitar os sonhos dos outros.

Comecei a rir.

— Por que te ris? — perguntou Moira, irritada.

— Desculpem. Isso não é possível. Ele está a dizer que inventou uma máquina de fotografar sonhos.

— Sim, mas não fomos nós que a inventamos. Estamos tentando aperfeiçoar algo que já existe. Queremos que seja um instrumento capaz não de fotografar, mas de filmar sonhos. O objetivo é esse.

— Como posso ajudar? — perguntou Moira.

— Gostaria de confrontar as suas imagens, as imagens dos seus sonhos, com o nosso próprio filme, para usar a expressão deste amigo angolano.

— Daniel. Chamo-me Daniel.

— Na verdade queria mais do que isso. Queria que você desenhasse para nós, que ilustrasse sonhos.

Moira entusiasmou-se:

— Sim, sim! Quero muito!

Hélio regressou ao Brasil na manhã seguinte. Moira ligou-me a meio da tarde. Queria que eu fosse com ela a uma casa de massagens marroquina. Disse-lhe que não frequento casas de massagens. Incomoda-me a intimidade. Horroriza-me a ideia de que desconhecidos percorram as minhas costas com as mãos oleosas, afaguem as minhas pernas, afundem os dedos nas minhas coxas. Não, sinceramente não é algo que aprecie. Ela insistiu. Eu iria gostar, assegurou, massagem e banho turco. Finalmente, aceitei.

Fomos de carro até o bairro malaio. Uma mulher vestida com uma *djellaba* cor de terra recebeu-nos à entrada de uma pequena casa pintada de um amarelo muito vivo.

A mulher mal falava inglês. Indicou-me, por gestos, uma sala onde eu poderia mudar de roupa. Moira foi encaminhada para a sala ao lado. Descalcei-me. Despi a camisa, as calças e as cuecas e esperei sentado num banquinho. Ao fim de alguns minutos, a mulher veio buscar-me. Levou-me para uma pequena cela forrada de ladrilhos azul-cobalto, encostou-me a uma das paredes e deu-me um banho quente, servindo-se de um cântaro e de uma esponja. Esfregou-me as costas, depois o peito, com uma pasta perfumada, um pouco áspera, e a seguir voltou a lavar-me. Pediu que me deitasse numa marquesa e fez-me uma longa massagem. Não gostei da massagem. Finalmente, conduziu-me até o banho turco. Era uma câmara muito bonita, baixa e abobadada, com os mesmos ladrilhos azul-cobalto da divisão anterior. Deitei-me e adormeci, ou quase adormeci. Passado um sopro ou a eternidade (eu dormia, ou julgava que dormia) a porta abriu-se. Moira avançou através do ar encharcado, que cheirava a menta e me queimava os olhos, com os seios livres, iluminados por uma luz de âmbar, a qual parecia descer, como um bálsamo, de algum ponto oculto no alto da abóbada. Não disse nada. Sentou-se à minha frente, de olhos fechados, na posição de lótus.

— Quando o meu pai morreu já só se lembrava do mar — disse-lhe eu. — Tenho muito medo de perder a memória. Mas se me dissessem que eu esqueceria tudo, exceto um único momento, e me deixassem escolher esse único momento, eu escolheria este.

Moira sorriu, um sorriso levemente trocista:

— Por quê?

— Porque, se conseguir recordar-me deste momento, mesmo tendo esquecido tudo o resto, não terei perdido a minha vida.

— A sério? Triste vida a tua.

Mais tarde, ao vestir-me, não encontrei o celular no bolso das calças. Estava certo de que o deixara lá. Perguntei à massagista, mas a mulher não pareceu compreender. Moira também não me prestou atenção:

— Deves ter esquecido o telefone no hotel.

— Tenho a certeza de que o guardei no bolso das calças.

— Está aqui mais alguém? Vês mais alguém? Não está aqui mais ninguém. Só nós e a mulher. Não me vais dizer que ela te roubou...

Concordei. Concordaria com qualquer coisa que Moira me dissesse. Paguei à massagista e fomos embora. Não encontrei o telefone no quarto do hotel nem em parte alguma. Noutra ocasião teria ficado aborrecido. Naquela noite sentia-me fora do mundo.

Jantei com Moira num restaurante tailandês. Ela levou-me ao hotel e despediu-se de mim com um beijo nos lábios. Na manhã seguinte embarquei de regresso a Luanda. Sentei-me no lugar que me estava reservado, entalado entre a janela e uma mulher gordíssima, antipática, que passou a viagem inteira a olhar-me com um surdo e misterioso rancor. Não me incomodei. Fechava os olhos e via a imagem de Moira.

15.

Muita gente tem medo de andar de avião. Lucrécia, por exemplo, agarrava o meu pulso mal nos sentávamos. A mão dela ficava dura e gelada. Uma ocasião, no Rio de Janeiro, desatou aos prantos assim que decolamos. "Quero sair!", gritou para a aeromoça. A chefe da cabine veio falar comigo: "Se a sua esposa não se acalmar, teremos de regressar, e haverá um processo judicial. Ela está a assustar os passageiros". Finalmente, conseguimos que engolisse um Xanax. Dormiu o resto da viagem.

Não tenho medo de andar de avião. Nunca tive. Sofro de um mal mais raro, aparentado com esse: os aeroportos afligem-me. Pensando melhor, não são os aeroportos. São os polícias de aeroportos. Os polícias, de uma forma geral. Um tipo sabe que nasceu num país do terceiro mundo quando tem mais medo dos polícias do que dos ladrões.

Chegamos a Luanda à hora prevista. Desci as escadas, em direção à pista, dominado por uma crescente inquietação. A angústia aumentou quando me encaminhei para a fila da polícia de fronteiras. Um agente gordo e suado tirou-me o passaporte da mão, abriu-o, muxoxou e chamou um colega:

— Veja aqui este muadié, chefe, deve ser o pai da terrorista.

O outro polícia olhou-me de alto a baixo, com um misto de pena e de repulsa, segredou alguma coisa para o primeiro e foi-se embora.
— O que foi? — perguntei. — O que aconteceu?
O polícia gordo deu de ombros, carimbou o passaporte e devolveu-mo:
— Passa, kota, passa só! Estás na tua terra. Podes passar.
Esperei pela minha mala. Um velho que eu nunca vira antes, seco de carnes, com uns grandes e sonhadores olhos de lêmure, pousou a mão no meu ombro direito:
— Coragem, filho. Tempos melhores virão.
Armando Carlos aguardava por mim à saída. Abraçou-me:
— Já sabes a má notícia?
— Que má notícia?
— Não recebeste nenhuma chamada da tua ex?
— Perdi o telefone. O que foi?
— Prenderam a Karinguiri — disse Armando.
— Como?! O que raio é que a miúda fez?
— A miúda fez o que todos devíamos fazer e não fazemos por covardia e conformismo...
Não teve tempo de acrescentar mais nada. O telefone dele começou a tocar. Armando atendeu:
— Sim, estou com o Daniel... No aeroporto, sim. Como sabe...? Pois, nesta cidade, as pessoas vigiam-se umas às outras... Ele não está a evitar as suas chamadas, minha senhora, perdeu o telefone... Olhe, sabe que mais, não sou seu marido nem sequer sou seu amigo, na verdade não simpatizo consigo, nunca simpatizei e, portanto, não tenho de a aturar. Vou passar o telefone ao Daniel.
Passou-me o telefone. Era Lucrécia:
— A culpa é tua!
— Podes acalmar-te...

— Calma?! Isso é tudo culpa tua, tu é que a incitas, com essas conversas de revolucionário de sofá. Vai acabar transformada numa falhada, como tu.
— Calma, estou a chegar da África do Sul. Primeiro preciso saber...
— Não me peças para ficar calma! Quem devia ter sido preso eras tu, falhado!

Gritou-me isso e desligou. Voltei-me para Armando, agitando o telefone diante do rosto dele:

— Que diabo está a acontecer?!

O meu amigo disse-me o mesmo que eu dissera a Lucrécia, "calma!", e como a Lucrécia aquele "calma!" só me assanhou ainda mais. Armando agarrou a minha mala e levou-a até ao carro, uma carcaça ferrugenta, porém tenaz, que um vizinho lhe emprestava quando necessário. Esperou que eu me sentasse, instalou-se ao meu lado e, enquanto dirigia em direção a Talatona, contou-me tudo. Karinguiri, que estudava história em Lisboa, mas vinha a Luanda sempre que podia, ligara-se a um grupo de jovens que se definiam a si mesmos como revolucionários, ou revus, e enchiam as redes sociais com vídeos de protesto contra a ditadura. Criticava-me por aquilo a que ela chamava a minha complacência burguesa:

— A diferença entre ti e a mamã é que ela pelo menos tem uma posição clara: apoia a ditadura. Tu finges ser democrata, mas, na prática, fazes o jogo do regime. A ditadura cresce à sombra do vosso silêncio cúmplice.

Eu irritava-me, porque era verdade, e discutíamos:

— Vocês querem tudo para hoje — dizia-lhe. — Não sabem esperar. Este país sofreu uma guerra terrível. Não podemos criar condições para uma outra guerra.

— O único partido que tem condições para desencadear uma nova guerra — retorquia Karinguiri, inflamada —, o único que ameaça com uma nova guerra, é o partido no poder.

Calava-me, tentando inventar um argumento no qual eu mesmo conseguisse acreditar. Fingia-me aborrecido, mas, no fundo, agradava-me perder as discussões com ela. Surpreendia-me perceber como crescera depressa. Aos dezoito anos, Karinguiri parecia ter sido desenhada por Niemeyer, num traço único e vitorioso. Era mais alta do que a mãe, mais orgulhosa, mais bonita. Embora tivesse herdado o meu nariz adunco, este não a enfeava, antes pelo contrário, acentuava-lhe a rebeldia. No dia em que completou dezoito anos disse-me que queria fazer uma tatuagem. Prometi acompanhá-la a um tatuador, Kenjy, um paulista de origem japonesa, que estava de visita a Luanda e era, assegurou-me Armando Carlos, um dos melhores artistas do Brasil. Karinguiri apareceu no meu apartamento com o cabelo rapado, do lado direito, até quase metade do crânio. Trancinhas do outro lado. Fiquei assustado:

— A tua mãe já viu o que fizeste ao cabelo?

— Ainda não.

— Disseste-lhe que queres fazer uma tatuagem?

— Também não.

— Acho melhor ligares para ela.

— Já não preciso da autorização da mamã. Estou livre! Além disso, tu vais comigo, não vais?

Fomos. Karinguiri pediu a Kenjy que lhe fizesse uma tatuagem do pescoço até ao couro cabeludo. Mostrou-lhe um desenho. Era uma rosa de porcelana sobre cujas pétalas se lia a palavra "liberdade". O tatuador ficou entusiasmado. Eu nem por isso. Quando saímos de lá já era noite. Fui deixá-la a casa. Deu-me um longo abraço:

— Obrigada, papá. Fiquei muito feliz. — Fez-me uma festa no cabelo. Sorriu, trocista. — Não queres entrar para cumprimentar a mamã?

Lembrei-me de tudo isso enquanto Armando me contava o que acontecera. Na noite anterior o presidente deslocara-se ao recém-inaugurado Palácio dos Congressos, em Talatona, para pronunciar o discurso de abertura da 1ª Conferência Internacional Contra a Corrupção. No exato instante em que o homem se preparava para falar, uma jovem saltou sobre a mesa – "como uma leoa", disse Armando sem conseguir esconder o entusiasmo – lançando em redor notas de Banco Imobiliário manchadas de sangue e gritando:

— Abaixo o ditador.

Mais tarde vi as imagens que a televisão mostrou. Milhões de pessoas, dentro e fora de Angola, também as viram. Uma garota alta, pulando sobre a mesa diante da qual estava sentado o presidente. As mãos do presidente erguidas, as palmas abertas, como numa espécie de súplica ou de adoração. O rosto do presidente, contudo, mostrava apenas pânico. A garota em pé sobre a mesa, com o cabelo apartado em tranças longas, de um lado, e do outro o couro cabeludo exposto, no qual se podia ler a palavra "liberdade". Os olhos dela emanavam uma espécie de luz gloriosa, como se estivesse não ali, mas num show de rock ou num terreiro de candomblé.

Seis outros jovens subiram para o palco, gritando palavras de ordem contra o regime e lançando panfletos sobre os espantados espectadores. O presidente foi retirado à pressa por quatro seguranças. Aproveitando a confusão um dos jovens agarrou o microfone e bradou:

— Ressurreição popular generalizada!

Ao menos foi o que eu percebi. Nos dias seguintes, jornais portugueses, ingleses, franceses e brasileiros publicaram a imagem da minha filha sendo arrastada para fora da sala por um grupo de polícias. Ela ria-se. O clarão do sorriso dela explodia, como uma indomável manhã de sol, por entre os braços gordos e suados dos polícias. Não esqueço o título, sob a forma de pergunta, do *The Guardian*: "Angola: o riso triunfará sobre a escuridão?".

Passei esses primeiros dias ao telefone. Só o largava para fumar. Tomava dois comprimidos de melatonina antes de ir para a cama. Fechava os olhos, contava até cem, voltava a levantar-me, pegava um livro qualquer, abria-o ao acaso e lia. Voltava a deitar-me. Ligava para Armando. À terceira noite ele deixou de responder às minhas chamadas. Finalmente, adormecia. Despertava muito cedo, mais cansado do que quando me deitara, com os olhos inchados e o cabelo em desordem.

Um conhecido advogado, Américo Kiala, prontificou-se a defender os detidos. Américo defende tanto grandes personalidades da oposição quanto jovens revolucionários que não têm onde cair mortos. Os críticos do regime chamam-lhe "o advogado dos direitos humanos". Os governantes chamam-lhe "o advogado dos terroristas". Encontrei-o afundado entre fumo de cigarro e papéis velhos, na Maianga, num apartamento minúsculo, muito degradado, onde há anos instalou o escritório. Numa das paredes há um mapa de Angola com umas três dezenas de alfinetes de cabeça vermelha. Os alfinetes assinalam os lugares onde, nos últimos anos, as forças do governo cometeram algum tipo de violência.

— O que achas que vai acontecer aos miúdos? — perguntei.

Américo sorriu tristemente:

— O teu querido sogro, o velho Homero, está a mover o céu e a terra para tirar a Karinguiri da cadeia. Contratou um colega meu, um gajo do partido, que conhece toda a gente e os seus respectivos segredos. A confusão é que a ação dos miúdos teve uma repercussão imensa, dentro e fora do país. Colocou o velho numa situação desagradável, ele sentiu-se ofendido, sentiu-se humilhado. Está zangado. Muito zangado. Sabes qual vai ser a acusação?

— Qual?

— Atentado contra a vida do presidente e tentativa de golpe de Estado.

— O quê?!

— Bem sei, é um disparate, mas eles estão assustados. Gostariam de soltar a tua filha já hoje, até porque muitos deles, e estou a falar dos generais, dos ministros, dos dirigentes do partido, são visitas de casa do Homero. Olham para Karinguiri como se fosse uma sobrinha. Conhecem-na.

— Se a soltarem, têm de soltar também os outros.

— Precisamente. Não podem fazer isso. Daria uma imagem de fraqueza.

— E então?

— Vão levá-los a julgamento e não acredito que os soltem entretanto. Prepara-te, porque vai ser uma longa luta.

Fui com Américo visitar Karinguiri. Ao contrário do que receava, não nos colocaram muitos problemas para entrar na cadeia. Toda a gente se mostrou simpática comigo. Karinguiri pareceu-me mais magra. Achei-a, contudo, ferozmente determinada. Uma das mulheres-polícia, uma jovem muito gorda, que mal cabia no uniforme, não escondia o riso cada vez que a minha filha levantava a voz contra o presidente:

— Essa miúda, kota, ela tem mais coragem do que o Chuck Norris. Pena que não lhe serve de nada. O presidente vai continuar no palácio, vai continuar a dormir bem, e ela agora está aqui.

Levantei-me, quase em lágrimas, quando a vi surgir, vestida com o uniforme da prisão. Acho que só nesse instante me convenci de que ela fora mesmo presa e de que não iria ser fácil libertá-la.

— Por que não falaste comigo?

— O que terias feito?

— Não sei. Em todo o caso não estarias agora aqui.

— Estou onde tenho de estar. Nós sabíamos que isso iria acontecer, não somos malucos.

— Querias ser presa?
— Sabia que seria presa. Acorda, pai, vivemos numa ditadura.
Mudei de assunto:
— Estão a tratar-te bem?
— Mais ou menos. Aqui só há duas mulheres detidas por motivos políticos. Algumas das presas respeitam-nos. Outras têm raiva de nós.
Saí de lá desanimado. Passei por casa, atirei alguma roupa para dentro de um saco de viagem, dei de comer a Baltazar, o gato, e entrei no carro. Precisava nadar. Quando dei por mim estava a chegar ao Hotel Arco-Íris. Hossi saiu de trás do balcão assim que me viu entrar. Pousou-me a mão no ombro:
— Vem, vamos beber alguma coisa.
Voltou-se para um dos empregados e disse-lhe que colocasse o meu saco no bangalô azul. Levou-me ao restaurante e ofereceu-me uma das mesas de frente para o mar. A noite descera havia pouco. Uma cigarra enrouquecia entre as ramadas densas da mangueira. Hossi pediu uma garrafa de uísque. Não gosto de uísque, mas deixei que me servisse.
— Lamento muito — disse-me, e pela primeira vez senti um calor sincero na voz dele. — Soube o que aconteceu à tua filha. Estamos nisso juntos. Lembras-te do rapaz que apelou à insurreição popular?
— Ele apelou à ressurreição...
— Qual ressurreição, maninho?! Insurreição!
— Ressurreição!
— Insurreição, ouviste mal. Seja como for, é o meu sobrinho mais velho.
— Seu sobrinho?
— Sim, meu sobrinho. Filho da minha irmã, então é como se fosse meu filho. Não reparaste no nome dele?

— Não!
— Claro. Se fosse branco ou mulato, terias reparado.
— Disparate. Como se chama o miúdo?
— Sabino Noé Kaley.

Bebi o uísque de um trago e servi-me de mais.

— Caramba! Ele já tem advogado?
— Sim, o Américo Kiala. Não é teu amigo?
— É um velho conhecido. Simpatizo com o tipo.
— Cansei-me de dizer ao Sabino para não se meter em política. A minha irmã viveu na Zâmbia durante a guerra. Todos os cinco filhos nasceram lá. Quando se deu a paz mudaram-se para Luanda. Assim que o Sabino fez dezoito anos decidi mandá-lo para Lusaka para estudar. Ele foi e voltou eletricista. Um bom eletricista pode ganhar muito dinheiro.

Concordei, num aceno de cabeça cheio de silêncio e triste escuridão. A minha dor ampliara-se, acrescentada à do hoteleiro. Veio-me uma cólera. Chegou de algum lugar vermelho e em brasa os confins do meu peito e foi abrindo caminho até a superfície sem que eu a conseguisse controlar. O maldito Demônio Benchimol:

— Bandidos!

Hossi assustou-se. Várias pessoas, sentadas em redor, voltaram para nós um olhar onde se misturava a curiosidade e a censura. O hoteleiro fincou as unhas sujas no meu braço:

— Calma, Daniel!
— São uns bandidos! — insisti, sem baixar a voz. — A começar pelo tirano, depois a família dele e a seguir os generais que engordaram ao longo de todos esses anos chupando o sangue do povo.
— Sossega! Estás a ver o tipo magrinho, lá ao fundo, com cara de cabeleireiro? Pois quem vê caras não vê corações. Chama-se Rui Mestre, mas é mais conhecido pelo nome de

guerra: 20Matar. Pertenceu à guarda presidencial e agora faz pequenos biscates para a segurança. Apareceu aqui dois dias após a prisão da tua filha e do meu sobrinho...

Só nessa altura me dei conta de que começara a tratar-me por tu e aquilo, nem sei bem o porquê, deixou-me feliz. Sorri:

— O teu hotel é muito bem frequentado, kota.

Hossi muxoxou:

— Enquanto ele pagar as contas não o posso mandar embora. Por outro lado acho que não vou para o inferno se lhe complicar um pouco a vida.

— Como?

— O gajo gosta de chupar uísque. Bebe o uísque com gelo. Ora, tu sabes como é o gelo aqui no nosso país. Por vezes a malta se descuida, não ferve a água, e aí acontecem desarranjos intestinais, nada de muito grave. Também posso esquecer-me de colocar papel higiênico no bangalô dele. E água. Aqui, como sabes, a água falta muitas vezes.

Comecei a rir. A raiva que sentia transformou-se numa espécie de júbilo furioso. Ri-me até me doer o estômago. Hossi riu-se comigo. Reparei que 20Matar olhava para nós, perplexo, abanando gravemente a pequena e delicada cabeça de cabeleireiro.

Nessa noite fui nadar. Nadei durante mais de uma hora, sob o olho único de uma lua imensa. Nadei até que as luzes, na praia, se misturaram à confusa torrente de estrelas. Então, estendi-me de costas, a flutuar, puxado para o alto pela força da lua. Se ela estivesse um pouco mais perto, talvez me arrancasse da água. Eu ficaria levitando, um corpo solto, entre as estrelas e o mar.

Hossi esperava por mim, sentado na areia.

— Nunca sei se voltas.

— Nunca sei se volto. Mas sempre que volto, maninho, volto mais livre.

16.

❪❪ Domingo, 17 de julho de 2016

Acordo e digo alto o meu nome: "Chamo-me Hossi Apolónio Kaley. Sou filho de Pedro Kaley e de Maria João Epalanga". A seguir recordo o nome dos meus pobres filhos e da minha mulher. Tento lembrar o nome de todos os meus primos. São vinte e dois. Nem sempre consigo. Só então me levanto. Vivo no terror de um dia acordar e não saber quem sou. Imaginem um gajo, um gajo qualquer, imaginem que lhe arrancam os olhos. Vamos lhe dar um nome e uma ocupação, para ser mais fácil. Por exemplo, Sebastião Eusébio, camponês. A gente arranca-lhe os olhos, pode ser com uma faca, pode ser com uma colher de chá, e o gajo continua a ser o Sebastião Eusébio, camponês, embora cego. Vamos cortar-lhe uma das mãos, depois um braço, uma orelha, a seguir o nariz, enfim, vamos desbastando o Sebastião, golpe a golpe, como se fosse a ramada de uma árvore. Mesmo mutilado ele continuará a ser o Sebastião Eusébio. Agora experimentemos arrancar-lhe não pedaços do corpo, o que é bastante fácil, exige apenas mão firme, alguma prática e um certo alheamento do espírito. Vamos arrancar-lhe recordações. Primeiro arrancamos-lhe a imagem da mãe pilando milho com as outras mulheres, enquanto cantavam; depois a lembrança boa das brincadeiras com os irmãos e os primos entre o canavial, junto ao rio; a seguir, o frescor da água tirada do moringue. Tiramos também de dentro da cabeça do Sebastião as histórias que a avó lhe contava, o cheiro do cachimbo e as pequenas gargalhadas dela.

Então respondam-me: aquele homem que nunca foi menino, aquele homem ainda é o Sebastião?

Acordo com os primeiros raios de sol. Dou um salto da cama, lavo os dentes, bebo um sumo de limão, saboreio uma banana e, depois, sento-me a escrever em velhos cadernos, voltado todo para dentro de mim mesmo e cheio de picos para fora, como um ouriço. Fico assim um tempo longo, esgaravatando na memória, à procura das minhas imagens de infância. Tento lembrar-me dos rostos das pessoas que amei. Há dias em que a imagem delas chega-me quase nítida, como o perfume das pitangas lançando na minha boca um gosto vermelho. Isso é raro. Sei que a minha falecida esposa tinha uma pequena cicatriz no queixo. Os olhos eram como espelhos. Os lábios, úmidos, bem desenhados. Apesar disso, não a vejo.

Na mesma noite em que prenderam o meu sobrinho chegou ao Arco-Íris um gajo feio, ainda mais feio do que eu, a mancar da perna direita. O homem olhou-me de um jeito esquivo, com uma mistura de medo, ódio e curiosidade. Não sei a palavra certa para definir tal mistura. Olhou-me dessa forma múltipla, cheio de olhos, como uma aranha. A cabeça um pouco de lado:

— É você mesmo, brigadeiro Kaley?

— Não, não sou. Talvez tenha sido esse homem, mas não sou mais.

— E isso é possível?

A voz era rouca, nasalada. Aqueles olhares todos me incomodavam:

— Desculpe, não estou a reconhecer...

— Eu conheci um brigadeiro Kaley...

— O senhor pretende um quarto?

— Sim, quero um quarto.

Mostrou-me o passaporte, em nome de Jamal Adónis Purofilim, e logo lhe passei as chaves do bangalô verde, o mais afastado da praia. No dia seguinte veio ter comigo enquanto eu jogava xadrez com o velho Tolentino de Castro. Sentou-se ao lado do Tolentino, a fingir que observava o jogo, mas, na verdade, muito mais interessado em mim.

— Ouvi dizer que o senhor sofreu um acidente.

Não lhe respondi.

— Dizem que perdeu a memória.

Tolentino riu:

— Uma parte. Por exemplo, nunca se lembra de proteger a rainha.

Sorri – muito ao de leve. Deixei que me levasse a rainha. Fiz xeque-mate três jogadas depois. Eram quatro da tarde e o calor apertava. Eu vestia umas bermudas velhas, uma camiseta do Benfica, e calçava umas Havaianas dois números acima do meu. Tolentino estava de calções de banho, em tronco nu, descalço. Anda na casa dos setenta, mas tem um corpo mais seco, firme e definido do que a maioria dos miúdos de trinta. Faz musculação todos os dias, durante três horas, com um personal trainer brasileiro. Jamal sufocava dentro de um fato azul, demasiado apertado. A gravata parecia um garrote. Ergueu-se devagar. O suor corria-lhe pelo rosto:

— Preciso tomar uma decisão.

Tolentino abanou a cabeça:

— Tome um café, homem. Tome antes um café. Eu sempre substituí as grandes decisões por uma chávena de café e nunca me dei mal. — Esperou que o sujeito se afastasse e então voltou-se para mim. — Só me ganhaste porque aquela ave de mau agouro me distraiu.

— Como assim, distraiu-te?

— Sei lá. Tem má energia. Não te parece estranho?

— Estranho por quê?

— Ninguém vem para aqui, num sábado, vestido de fato e gravata. Isto é um hotel de praia, não é um escritório de advogados. Além disso, está armado.

— Como sabes?

— Porque vi a pistola presa à cintura, atrás das costas, quando ele se levantou.

Disse-lhe que não se preocupasse. Fui para o escritório. Liguei o computador e procurei no Google por alguém chamado Jamal Adónis Purofilim. É um nome incomum. A haver referência a alguém com esse nome teria de ser ele, mas não encontrei nada. Quem não está no Google é porque não existe. Abri o cofre e tirei uma Glock, de nove milímetros, presente de um amigo israelita. Carreguei a arma, coloquei-a no bolso das bermudas e fui à procura do suposto Jamal. A porta do bangalô verde estava aberta. Não havia ninguém lá dentro. Não havia roupas. Na casa de banho não encontrei uma escova de dentes, uma lâmina de barbear, nada que denunciasse a presença de um hóspede. O telefone tocou. Era a minha irmã a dizer-me que o filho fora preso. Fechei a porta do bangalô e no mesmo instante esqueci-me de Jamal Adónis Purofilim. »

17.

Fez-me bem nadar. Fez-me ainda mais bem conversar com Hossi. Já estava em Cabo Ledo havia três noites, quando o hoteleiro me perguntou como correra a visita à Cidade do Cabo:
— E a tal artista, essa Moira?
Eu não me esquecera de Moira. A imagem dela continuava a flutuar, um barquinho à vela entre as ondas altas, no mar de tempestade em que se transformara a minha vida. Vez por outra descansava o coração nessa imagem. Depressa, porém, o ruído trazia-me de volta à realidade. Agradou-me que Hossi tivesse feito a pergunta. Fui sincero:
— Apaixonei-me.
O meu amigo riu, num jeito manso que eu não lhe conhecia:
— Até que enfim uma boa notícia. Eu gostava de voltar a apaixonar-me, mas receio que seja demasiado tarde. Não acontecerá.
— Por que não?
— Não tenho mais idade para isso.
— Essa agora! Somos da mesma idade.
— Não, meu amigo. Eu morri duas vezes. Sou muitíssimo mais velho do que tu.

— Voltaste a apaixonar-te, mesmo depois de teres morrido pela segunda vez.

— Tens razão. Morri três vezes. Ter perdido Ava foi a minha terceira morte.

— Nunca me disseste como foi a primeira.

— Não posso. Não consigo.

Hossi calou-se, muito sério, e eu não insisti. O hoteleiro mandara erguer um toldo no topo da falésia. Instalara sob ele uma mesa e algumas cadeiras. Desafiara-me depois a fazer a escalada. Aceitei. Lá de cima via-se toda a extensão da praia. Os empregados haviam trazido cerveja gelada, frango no churrasco, batatas fritas e até um bolo de banana. Contei-lhe que subira a Table Montain com Moira e que a meio do caminho tropeçáramos num neurocientista brasileiro, especialista em sonhos. O homem construíra uma máquina para ver sonhos. Hossi interessou-se:

— Uma máquina para ver sonhos?

— Uma máquina capaz de traduzir a atividade cerebral enquanto sonhamos em imagens animadas, sim. Acho que não são bem filmes, mas quase.

— Aka, maninho! Parece interessante. Ele poderia confirmar a história de que as pessoas sonham comigo...

— Sonhavam. Isso nunca mais aconteceu, certo?

— Tirando tu! Nunca mais aconteceu porque eu agora tomo comprimidos para dormir.

— Ah, bom. Não sabia.

Hossi apoiou a mão no meu antebraço, interrompendo-me. Agarrou um binóculo que estava pousado na mesa e voltou-o na direcção do hotel. Riu-se:

— Apanhei o bandido!

— Como?!

Passou-me o binóculo. Disse-me que procurasse o bangalô verde. Vi dois dos empregados a acompanhar um homenzinho de fato e gravata, a coxear. Um dos empregados levava uma mala pequena. Entraram os três no bangalô.

— Vê! Vê! — incitou-me Hossi, satisfeito.

Saíram os três, instantes depois. O homenzinho estava algemado e um dos empregados encostava-lhe uma pistola às costas. Ergui-me de um salto:

— O que se passa?!

Hossi tirou-me o binóculo.

— O gajo veio aqui para me matar.

— Como sabes?

— Apareceu do nada, de fato e gravata. Depois vazou sem dizer água vai.

— Fugiu sem pagar?!

— Como fugiu sem pagar?! Ninguém foge do Arco-Íris sem pagar. Sabes que eu cobro adiantado.

— O que aconteceu então, qual o problema?

— O problema é que estava armado e deu uma identidade falsa. Estranhei o comportamento dele e fui investigar. Fiz algumas perguntas.

— E então?

— Nada. Não descobri nada. Até que ontem recebi uma mensagem do gajo reservando um bangalô.

— O que vão fazer?!

— Os meus homens vão trazê-lo até aqui. Quero falar com ele tranquilamente.

— Por que não falas com ele no hotel?

— Aqui é mais calmo. Ninguém nos incomoda.

Acompanhei, ansioso, a marcha dos três homens. O prisioneiro subia a custo, com passos desafinados, tropeçando nas pedras, esforçando-se por não se enredar nos cactos e nas bissapas. Os outros dois pareciam troçar das dificuldades do infeliz, sacudindo a cabeça, rindo, empurrando-o em vez de o ampararem.

— Bebe mais uma cerveja — disse-me Hossi, estendendo-me uma garrafa. — Bebe e acalma-te. Não tenciono matar o aleijado. Só pretendo extrair-lhe algumas informações.

— Extrair-lhe informações?! Em que tempo é que tu vives?! A guerra acabou...

Uma rajada de vento atirou sobre nós, num açoite brusco, uma poeira ardente, cor de sangue. Hossi esfregou os olhos, muito vermelhos; sacudiu o cabelo, ainda mais desgrenhado do que o habitual. Soltou uma gargalhada ácida:

— A guerra não acabou, amigo. Apenas dorme.

Os três homens alcançaram finalmente o cume da falésia e dirigiram-se até nós. Um dos empregados, chamado Adriano, que andava sempre de óculos escuros, mesmo à noite, e cuja voz eu nunca escutei, entregou a pistola a Hossi. O prisioneiro tinha o fato sujo. Fez-me lembrar uma daquelas pequenas moscas que as bananas segregam depois que apodrecem. Coxeava muito. As algemas cortavam-lhe os pulsos. Chorava:

— Por quê?! Por quê?!

— Pelo amor de Deus! — gritei. — Hossi, solta o homem!

Hossi ignorou-me. Levantou-se. Girou em torno do infeliz, agitando a pistola, como uma hiena estudando a presa. Ocorreu-me que uma entidade desconhecida, cruel e fria, se estava apoderando do corpo dele. A voz mudara. Uma voz ríspida, de alguém habituado a mandar e a ser obedecido:

— Diz-me lá, o coxo...

— Sim, senhor.

— Como te chamas?

— Jamal Adónis Purofilim.

— Não. Não te chamas Jamal! Vais começar por me dizer o teu verdadeiro nome.

O prisioneiro olhou para mim numa súplica. Eu estava tão assustado quanto ele. Tinha a garganta seca. Sentia as pernas a tremer. Ainda assim levantei-me e dei dois passos, hesitantes.

— Por favor, Hossi. Tira-lhe as algemas. O homem está a sangrar.

Hossi voltou para mim os olhos vermelhos, o sorriso divertido. Depois dirigiu-se a Adriano:

— Adriano, tira-lhe as algemas. E tu, Jamal, senta-te connosco. Refresca a garganta e fala.

Adriano tirou as algemas de Jamal. O homenzinho sentou-se, com medo, numa das cadeiras. Parecia um pássaro num poleiro. Olhava lá para baixo para o mar como se a qualquer instante pretendesse alçar voo e desaparecer no azul imperturbado.

— Respira fundo — disse-lhe Hossi. Pousou a pistola na mesa. Deu uma palmada amigável na perna enferma de Jamal. — A tua sorte é que o meu amigo aqui, Daniel, não gosta de violência. O Daniel é pacifista. És pacifista, não és, Daniel?

— Sim, sou pacifista.

— Ouviste? O Daniel é pacifista. É um defensor dos direitos humanos. É um defensor até dos direitos dos animais. Quando era miúdo salvou um leãozinho, cuidou de um leãozinho. Caçava gatos para alimentar o leãozinho. Ainda hoje se sente culpado por ter matado esses gatos.

Olhei-o, espantado:

— O quê?!

— Sim, eu sei de tudo — disse Hossi, muito satisfeito. — Sei que em criança cuidaste de um leão zarolho chamado Moshe Dayan.

Não consegui conter o riso:

— Um leão?! Moshe Dayan era uma hiena. Um filhote de hiena.

— Um filhote de hiena? Tens certeza? Na história que me contaram era um leão.

— Um leão?! Achas que eu confundo hienas com leões? Achas que eu ia ter um leão em casa? Era uma hiena e não comia gatos, comia restos, comia lixo, como os porcos. Em toda a minha vida só matei um gato e não foi para alimentar nenhum leão.

Jamal olhava para mim, olhava para Hossi, com um meio sorriso perplexo. O brigadeiro piscou-me:

— Já a minha avó dizia: neste país quem conta um conto sempre aumenta um ponto. Tudo bem, um leão ou uma hiena, para o caso tanto faz. És um gajo humanista, que não gosta de violência, e por isso, em atenção a ti, vamos ter uma conversa civilizada. Diz-me lá como te chamas...

O sujeito endireitou a gravata. Sacudiu a poeira vermelha que lhe cobria as calças. Tirou um lenço do bolso e limpou com ele, cuidadosamente, o sangue dos pulsos.

— O meu verdadeiro nome é Ezequiel. Ezequiel Ombembua.

— E o passaporte falso?

— Comprei num congolês — Jamal, aliás, Ezequiel, fez uma pausa, como se avaliasse a densidade do ar à sua frente. Suspirou. — Vim aqui para lhe matar, brigadeiro.

— Agora?!

— Agora, não. Quando vim da primeira vez, queria matá-lo. Agora vim para me explicar e para tentar compreender. Podem me revistar. Não estou armado...

— Compreender o quê?

— Você não se lembra mesmo?

— Lembrar...?

— Você não se lembra mesmo de mim?!

— Não!

— Por isso é que não o matei da outra vez. Se não se lembra, então não é mais o brigadeiro Kaley. A pessoa que eu vinha para matar está escondida em algum lado dentro da sua cabeça. Não sei como a matar. Não posso.

— Por que é que queria matar essa pessoa?

— Porque essa pessoa matou o melhor que havia em mim.

— Quando foi isso?

— Foi em 1995. Eu era professor primário. Dava aulas em Luanda. Nesse ano a minha mãe morreu e eu tive de viajar para o Bailundo, para o óbito. A Unita estava no Bailundo.

— Bem sei, disso ainda me lembro.

— Um dia apareceram uns militares na minha casa e levaram-me. Diziam que eu roubara um lote de diamantes.

— Fui eu que te interroguei, claro.

— Sim. Você se lembra?

— Não me lembro. Mas eu fazia isso, o meu trabalho era extrair informações.

— O senhor me torturou durante uma noite inteira.

— Você não tinha nada a ver com o roubo?

— O senhor me bateu com um martelo...

— Tinha ou não tinha?

— Eu era crente. Acreditava em Deus. Acreditava nas pessoas...

— O que você fez com os diamantes?

Ezequiel, num gesto rápido, deitou a mão à pistola. No instante seguinte estava de pé, com o cano da arma afundado no pescoço de Hossi. Adriano deu um salto na direção dos dois e teria atirado o punho direito, grosso e pesado como uma bola de ferro, sobre a frágil cabeça de Ezequiel, se Hossi não o tivesse impedido:

— Calma! Ninguém se mexe!

Ezequiel resfolegou, como um cão engasgado. Suava muito. A poeira vermelha escorria-lhe pelo rosto e pingava sobre a camisa.

— Foda-se! Foda-se!

— Decide-te — disse-lhe Hossi, muito calmo. — Se me queres matar aproveita agora.

— O senhor não se lembra?

— Não me lembro de nada.

— O senhor me bateu muito. Esmagou o meu joelho à martelada.

— E os diamantes?

Ezequiel voltou a enterrar o cano da arma no pescoço de Hossi. Pensei que fosse disparar. Ergui-me a custo, apoiando-me na mesa, os joelhos a tremer:

— Não faça isso, por favor. Não dispare!

O homem voltou para mim os olhos de pardal assustado:

— Quem é você?

— Sou jornalista.

— É amigo do brigadeiro?

— Sim, sou amigo dele.

Ezequiel deixou cair o braço. Sentou-se. Hossi aproximou-se dele e tirou-lhe a pistola da mão. Voltou a pousá-la na mesa. Dei alguns passos, hesitantes, meio à toa, e depois comecei a descer a falésia.

— Onde vais? — A voz do Hossi.

Não respondi. Nem sequer olhei para trás. Desci ao longo do carreiro. À medida que descia, os meus passos ficavam mais firmes. Quando alcancei o bangalô azul tinha outra vez as pernas a tremer, mas agora não era de medo, e sim de fúria. Atirei a roupa para a mala, guardei o laptop e saí sem fechar a porta. Coloquei a mala no porta-bagagem, entrei no carro, sentei-me e liguei o motor. Fugi dali.

18.

Domingos Perpétuo Nascimento tem olhos verdes, muito claros. Numa cidade como Luanda um mulato de olhos verdes cresce cercado de certos privilégios. Era assim na época colonial e continua a ser assim agora. No liceu, com toda a certeza, namorou as moças mais bonitas. Toda a gente o convidava para as festas. Isso explica, talvez, a segurança com que olha para o mundo e para os outros. A firmeza das convicções. Ali estava ele, na redação d'*O Pensamento Angolano*, no Quinaxixe, sentado à minha frente, pernas cruzadas, cigarro ao canto dos lábios, com a discreta placidez de um campeão de tiro ao alvo.

— Gostei do artigo que escreveu sobre mim — disse. — O senhor parece-me uma pessoa honesta. Alguém me disse que escreveu um outro artigo sobre um avião, um Boeing 727, que, em 2003, desapareceu do aeroporto de Luanda.

— Sim, nunca encontraram o avião...

— Lembra-se do nome do piloto?

— Lembro.

— Charles Padilla.

— Sim, Charles Padilla, um americano. Por que me pergunta isso?

— Desapareceram ele e um mecânico. Lembra-se do nome do mecânico?

— Não, lembro-me apenas que era angolano...

— Não era angolano, não. Era congolês. Chamava-se, ou melhor, chama-se, Jean Mpuanga. Um bom mecânico. Eu estive com ele há poucos dias.

— Esteve com ele?! Onde?

Domingos Perpétuo Nascimento apagou o cigarro no cinzeiro. Mostrou-se feliz com a minha surpresa. Como todos os bons contadores de histórias deixou-se ficar em silêncio, um largo momento, sorrindo docemente, saboreando o triunfo. Finalmente falou:

— No Recife.

— No Brasil?

— Sim. Veja, entrei para a TAAG em 2000. Conheci o Mpuanga, simpatizava com o gajo. Um tipo muito especial. Gostava de ler. Lia muito. Livros em francês com títulos compridos. Jogamos futebol algumas vezes. Cheguei a ir à casa dele comer um mufete. Aliás, um bom mufete. A mulher era do Dondo. Sabia grelhar o peixe. Cacusso. Cacusso legítimo. Ah, e o feijão com óleo de palma! Só de me lembrar fico com água na boca. Adiante: há duas semanas entrei num boteco, no Recife, para tomar uma cerveja e lá estava o muadié, sentado a um canto, uns quinze anos mais velho, mas com o mesmo sorriso de sempre. Ele tem um sorriso meio torto, como se tivesse sofrido um AVC.

— Eles roubaram o avião?

— Não sei.

— Não sabe?

— Não faço a menor ideia.

— Não lhe perguntou?

— Não. Não sou polícia. Não sou jornalista. Perguntei-lhe apenas o que fazia ali e ele disse-me que era sócio do Charles. Têm um negócio de táxis aéreos.

— Um negócio de táxis aéreos?!

— Sim, estão ricos, mas Mpuanga mantém hábitos simples. Todas as tardes, por volta das seis, vai àquele boteco beber uma caipirinha e ler os jornais.

Fiquei em silêncio, a olhar para os límpidos olhos verdes de Domingos Perpétuo Nascimento. Lá fora chovia, como há de chover no fim dos tempos. Uma água pesada castigava o asfalto, espancava os carros e as vidraças. O ruído da chuva a cair sobrepunha-se ao roncar dos geradores, às buzinas furiosas dos candongueiros, aos gritos das zungueiras, abrigadas sobre os amplos vãos dos prédios.

— Burburinho — disse Domingos.

— Como?

— É o nome do boteco: Burburinho.

Tomei nota. Despedi-me dele com um abraço. Vi-o mergulhar na tempestade e desaparecer em segundos, arrastado pela torrente escura. Quando saí já não chovia. No hall do prédio uma garota ofereceu-se para carregar os meus sapatos, enquanto outra seguiria atrás de nós com um balde cheio de água limpa e uma toalha. Alcançado o carro lavar-me-iam os pés. Recusei. Um rapaz, ainda mais empreendedor, alugava botas de cano alto. Felicitei-o pela iniciativa, mas disse-lhe que não valia a pena. Os meus sapatos eram velhos. Os pés também.

As inundações cada vez mais frequentes criaram novos ofícios. Há quem se ofereça para carregar as pessoas às costas, o que me horroriza, pois recorda-me algumas gravuras que vi, de finais do século XIX, inícios do século XX, com negros transportando brancos às cavalitas. Também há quem venda sacos de plástico, que as pessoas enfiam nos pés e prendem aos joelhos com fita adesiva. Quando a água seca, as ruas ficam cobertas por milhares de sacos de plástico pretos, além de sapatos e restos de comida. O mau cheiro cola-se à pele.

Cruzei os passeios inundados. A água dava-me pelos joelhos. Fui incapaz de localizar o meu carro. A praça onde o deixara era agora uma lagoa lamacenta. Parecia mais provável que houvesse ali hipopótamos e crocodilos do que automóveis. Desisti e procurei um candongueiro para Talatona. Levei quase duas horas até encontrar um. Trazia, como é norma, o nome escrito a tinta preta na janela traseira: "Parlamento Informal". Sentei-me entre dois jovens magros e suados, os quais, apesar do cansaço, ainda conseguiam forças para troçar da própria desgraça.

— Estamos paiados — disse-me um deles. — O MPLA agora matam-nos através da chuva.

— Servindo-se da chuva — corrigi.

— O mais velho é professor de português?

— Não, sou jornalista.

— O que acha que vai acontecer aos revus?

— Não sei.

— Aquela garota, a Karinguiri, lhe deram esse nome por causa de um passarinho que tem lá em Benguela. É um passarinho pequenino, mas muito corajoso. Ajuda os outros. Enfrenta os inimigos, barulhando bué, para salvar os companheiros. Se houvesse mais cem como ela, este país não estaria assim.

O amigo concordou:

— Ya, wi! Aqui em Angola as pessoas honestas estão na prisão, e os bandidos é que nos mandam.

Os sapatos encharcados incomodavam-me. Tinham encolhido com a água. Ou talvez os meus pés tivessem inchado. Pensei em descalçar-me. Pensei que, se me descalçasse, não conseguiria voltar a calçar-me. Deixei-me ficar calçado. Uma senhora, sentada atrás de nós, interveio, dizendo que ao mandar prender miúdos o presidente mostrava medo e fraqueza:

— Quem o molhou foi a chuva, mas ele castiga o orvalho — acrescentou, com um sonoro muxoxo.

Todos riram. Todos menos eu. Os passageiros restantes estranharam o silêncio.

— O que o jornalista pensa sobre o assunto? — perguntou o motorista.

— Penso que há outras maneiras de lutar pela democracia — respondi. Os pés doíam-me. — Não é necessário desrespeitar o presidente.

O jovem ao meu lado direito não se conteve:

— O presidente é que nos falta ao respeito todos os dias! Falta de respeito é roubar o povo, como ele rouba, e depois distribuir o roubo pelos filhos.

O outro assustou-se:

— Calma, wi. É só a opinião do mais velho.

Ninguém voltou a falar. Quando saltei do candongueiro, junto ao Belas Shopping, em Talatona, chovia outra vez. Cheguei a casa encharcado. Baltazar fugiu de mim. Tomei uma ducha quente, vesti umas velhas calças de ganga, uma camisa branca, lavada, e liguei o laptop. Encontrei uma mensagem de Moira. Nos primeiros parágrafos falava-me da luz de Lisboa. Estivera na capital portuguesa dias antes, para participar numa exposição coletiva de novos artistas africanos. Acordava de madrugada para se debruçar à varanda, nua, enquanto o sol se erguia sobre o casario. Fotografava nuvens. Achava que aquele céu lhe poderia servir para construir sonhos. Após o longo preâmbulo, informava-me que vinha trocando mensagens com Hélio e que decidira visitá-lo em Natal dali a uma semana.

— Vens?

A pergunta ficou a flutuar no ecrã do computador. Imaginei Moira nalguma praia de Natal, passeando com Hélio, de mãos dadas, e senti uma pontada de ciúmes. Ocorreu-me que poderia passar pelo Recife, antes de seguir para Natal, e descobrir o que acontecera ao Boeing 727. Aquela, sim, seria uma grande reportagem. Liguei para o Alexandre Pitta-Gróz, diretor d'*O Pensamento Angolano*, e perguntei-lhe se o jornal poderia pagar-me uma viagem ao Recife. Deixei que se risse durante alguns minutos. Ria-se e tossia. Depois voltava a rir. Alexandre tosse o tempo todo. Contraiu aquela tosse há quase quarenta anos, quando foi preso, pouco depois da independência, acusado de ligações à Organização Comunista de Angola. Insisti:

— Por favor, Alexandre, pode ser uma das reportagens mais importantes da minha vida.

— Pode ser? — (Tosse.)

— Pode ser.

— Resposta errada. Se me dissesses que seria a reportagem mais importante da tua vida, estaria disposto a pagar do meu bolso. As coisas estão feias e tu sabes disso. O jornal não tem orçamento para viagens internacionais.

— Muito bem. Eu pago a viagem. A viagem e a estadia. Preciso apenas que me deixes ficar em Pernambuco durante uma semana.

— Agora, sim, começo a ficar interessado. Dou-te uma semana. Até te dou duas semanas e nem me importo que voltes gordo e bronzeado, desde que me tragas uma boa história.

19.

O rancor de Lucrécia em relação a mim acumula-se no espírito dela, a cada ano, como água lamacenta numa represa abandonada. Um dia o peso da lama destruirá a barragem. Não há muito que eu possa fazer. Percebi, faz tempo, que todos os meus gestos lhe desagradam, sejam eles de aproximação, sejam de confronto. Quando saí de casa, uns bons anos antes do divórcio, Karinguiri era muito pequena. Nos primeiros quinze meses Lucrécia não me deixou ver a menina. Mudou-se com ela para casa dos pais, recusava-se a atender aos meus telefonemas e deu instruções aos guardas para me manterem a distância. Um deles chegou a ameaçar-me com a arma. Alexandre Pitta-Gróz, que é advogado de formação, embora nunca tenha exercido, fez-me ver a inutilidade de avançar com um processo em tribunal, reivindicando os meus direitos de pai:

"Este país está dividido entre aqueles que podem reivindicar direitos, e os outros, os que não têm direitos nenhuns. A tua mulher está no primeiro grupo. Tu até já estiveste no grupo dela, enquanto vocês eram casados, depois voltaste ao nosso. Habitua-te a isso".

Fui-me habituando. Quinze meses após ter saído de casa, Lucrécia ligou-me. Disse-me que poderia ir ao apartamento de uma tia dela, nessa tarde, para ver a menina. Fui. Karinguiri completara havia pouco quatro anos. Segurei-a ao colo. Perguntei-lhe:

— Sabes quem eu sou?

A menina sorriu feliz:

— És o meu papá.

Regressei a casa devastado. A partir desse dia passei a visitar a menina, duas a três vezes por mês. Comecei a escrever contos que líamos juntos. Brincávamos com bonecas. Fazíamos desenhos, estendidos no chão, enquanto ela me falava sobre a melhor amiga, uma menina muito loira, filha de um empresário francês, amigo de Homero Dias da Cruz. Eu chegava a casa, à noite, com os joelhos doloridos, o esqueleto desconjuntado, como se tivesse passado duas horas a malhar num ginásio.

No ano seguinte, Lucrécia permitiu que ficasse com Karinguiri durante uma semana, nas férias da Páscoa. Nessa época ainda vivia no apartamento de Armando Carlos. Lembro-me do olhar espantado da menina, ao entrar:

— Onde estão as empregadas?

— Não temos empregadas.

— Quem vai cuidar de mim?

— Eu cuidarei de ti. Sou o teu pai. A minha função é cuidar de ti.

Nem sempre foi fácil. A maior dificuldade era penteá-la. Karinguiri usou durante muitos anos uma juba espessa, que reverberava ao sol, como uma fresca labareda de cobre. Podiam fazer-se almofadas com os caracóis dela.

Um amigo do meu pai, Pedro da Mata, administrador dos Caminhos de Ferro, vivia na Restinga do Lobito com a esposa e nove filhos. Na época colonial costumávamos passar as férias de março em casa deles. Após a independência, a família

Mata foi para Portugal. O filho mais novo, Mauro da Mata, permaneceu no Lobito. Passei a visitá-lo com frequência, depois que o meu pai voltou para Benguela. Ficamos muito amigos.

Mauro teve seis filhos de duas mulheres, uma moçambicana e outra benguelense. Vivem as duas com ele, sem estranheza nem conflito, cuidando dos filhos e colaborando nas tarefas domésticas. Nem sei de quem são os filhos. Acho que nem eles sabem ao certo de que barriga saíram.

Quando Karinguiri tinha sete ou oito anos fui passar uns dias de férias com ela no Lobito. Ficamos instalados no grande casarão de Mauro, no mesmo quarto onde eu costumava dormir com os meus irmãos. Aquele casarão trazia-me memórias felizes. Lembro-me de uma enorme casuarina, no quintal, debruçada sobre o mar. Um dos irmãos de Mauro prendera um balanço a um dos ramos mais altos. Sentávamo-nos no balanço, balançávamos, ganhando altura, muita altura, oito, dez metros, e depois mergulhávamos de cabeça na água morna. Ao final da tarde tomávamos banhos de mangueira para tirar da pele, castigada pelo sol, a areia e o sal. Eu ficava na cama, de olhos abertos, vendo no teto, através da rede mosquiteira, as osgas a perseguir insetos. A cama era ainda a mesma. Talvez a rede mosquiteira, já um tanto ou quanto esburacada, fosse também a mesma. No teto, as bisnetas das osgas da minha infância continuavam a perseguir insetos.

Achei uma crueldade sujeitar a menina, todas as noites, após os demorados banhos de mar, à penosa cerimônia de reorganizar a cabeleira. Ao fim de três dias, Karinguiri já exibia uns sólidos dreadlocks, que fariam qualquer rastafári morrer de inveja. Sete dias mais tarde, quando regressamos a Luanda, transportava à cabeça uma selva hermética e extravagante. As primeiras cabeleireiras às quais pedi ajuda recusaram o desafio. Uma amiga aconselhou-me o salão de um russo, um tal Igor, que funcionava num hotel cinco estrelas. Lá fomos nós.

Igor ergueu-se de uma poltrona estampada com a bandeira da extinta União Soviética. Deu dois passos pesados, horrorizados, na direção da minha filha. Estendi-lhe a mão, ao mesmo tempo que lhe explicava o meu drama:

— Preciso de devolver a menina à mãe, amanhã de manhã, e gostava que ela tivesse o cabelo em condições.

— Presumo que vocês não estão juntos, o senhor e a mãe da criança?

— Não! — adiantou-se Karinguiri. — Eles estão espalhados.

— Separados — corrigi. — Ela quer dizer separados.

— Naturalmente — disse o russo numa voz gelada. — Espero que sua ex-mulher mande matar você. Eu mataria você com as minhas próprias mãos.

Não me ri. O homem falava a sério. Quando retornei, três horas mais tarde, encontrei Karinguiri sentada numa das cadeiras, muito direita, muito séria, enquanto quatro jovens e bonitas assistentes terminavam de lhe desembaraçar o cabelo. A operação prolongou-se por mais uma hora.

— Essa menina é uma heroína — murmurou Igor quando finalmente a entregou nos meus braços. Olhou-me com desprezo. — Veja se aprende a tratar do cabelo dela.

Fui aprender. Uma amiga explicou-me que, depois de lavar o cabelo, devia pentear sempre a partir das pontas, avançando a seguir, firme, até à raiz. Os melhores pentes são de madeira. Escovas também funcionam bem. Outras amigas aconselharam-me cremes amaciadores. Nos dias seguintes à lavagem basta usar um bom óleo hidratante. Espalha-se o óleo com os dedos. Pode-se usar um pente apenas para dar volume.

Na cozinha, ao invés de aprender, vi-me forçado a regredir. Nada dos pratos sofisticados com que eu, ao princípio, a tentava conquistar. Karinguiri preferia salsichas com batatas fritas. Panquecas. Ovos estrelados – embora se recusasse a comer as gemas. Também não comia, por uma questão de ética, coisas-com-olhos, coisas-verdes, coisas-gosmentas, como quiabos; coisas-com-muitas-pernas, como polvos ou centopeias; e coisas-que-talvez-rezem, como gatos e louva-a-deus (juro que nunca a forcei a comer nem gatos nem louva-a-deus – nem sequer centopeias). Em razão de todas essas complexas e, por vezes um tanto misteriosas, restrições alimentares, as idas aos restaurantes podiam transformar-se em momentos dramáticos. Não fiquei muito surpreendido quando, aos dezesseis anos, a minha filha se declarou vegetariana.

A segunda vez que fui visitar Karinguiri encontrei-a ainda mais determinada. Abracei-a. Estava quente e magérrima. Era só pele e osso e entre uma coisa e outra o fogo puro do idealismo. Disse-me que tinha começado a dar aulas de inglês às outras reclusas e pediu-me que na próxima visita lhe trouxesse cadernos e canetas. Expliquei-lhe que não iria poder visitá-la nas duas semanas seguintes.

— Vais onde?
— Ao Brasil, a trabalho.
— Que trabalho?
— Sonhos. Vou em busca de sonhos e de sonhadores.
— Não precisas ir tão longe, papá. Eu tenho tantos sonhos. As outras presas, as mulheres-polícias, todas nós sonhamos muito. Nem imaginas os sonhos que cabem dentro desta prisão.

Voltei para o meu apartamento e, embora estivesse sozinho, fechei-me à chave na casa de banho. Não estava, é verdade, completamente sozinho. Baltazar estirava-se ao sol, na sala, junto à janela que dá para os jardins do condomínio. Um gato, contudo, não conta como companhia. Não se tem a companhia de um gato. Partilhar a casa com um gato é uma forma elegante de solidão.

Fechei a porta da casa de banho, girei a chave, sentei-me na banheira e chorei.

20.

Passava da meia-noite quando desembarquei no Recife. Fui recebido com um sorriso cansado pelo polícia de fronteira:
— Férias?
— Vim ao Recife à procura de um avião, um Boeing 727, que está desaparecido desde 2003. Também estou à procura de uma máquina que filma sonhos.
— Jura?! Qual a sua profissão?
— Jornalista.
— O senhor parece ter bastante imaginação para um jornalista. Devia ser escritor. Está aqui em férias?
— Sim, vamos chamar-lhe férias.

O homem abanou a cabeça, numa crítica silenciosa ao meu desvario, carimbou o passaporte e devolveu-o. Esperei vinte minutos pela bagagem. Saí para uma noite morna, úmida, quase idêntica às de Luanda, mas sem o tormento do ruído. Um taxista ensonado, triste e taciturno como um fantasma conduziu-me até um hotel que eu escolhera, ainda em casa, em Luanda, pesquisando na internet, apenas por se localizar no centro histórico do Recife, muito próximo do bar de que me falara Domingos Perpétuo Nascimento: Hotel Nassau. Um rapaz dormitava, descalço, do outro lado da recepção.

Despertou, estremunhado, ao ver-me entrar. Calçou umas havaianas e só então se levantou.

— É o senhor Daniel?

Entreguei-lhe o passaporte e fiquei a vê-lo preencher a ficha de entrada. Não devia ter mais de dezoito anos. A camiseta cavada e sem mangas expunha o peito magro e os ombros desvalidos, num dos quais sobressaía uma tatuagem tribal. No outro podia ler-se em letras góticas: "Meu nome é Solidão". O rapaz subiu dois lances de escadas, carregando a minha mala. Atravessou um pequeno corredor pintado de um vermelho pálido, até se deter diante da porta número treze.

— Este é o seu quarto. Espero que não se incomode.

— Com o quê?

— Com o número.

— Não tenho nada contra nenhum número. Não há números maus.

— Tem certeza?

— Absoluta.

O rapaz abriu a porta. Pousou a mala à entrada:

— Meu nome é Caim.

— Não acredito. Acredito mais depressa se me disser que o seu nome é Solidão. Ninguém no mundo se chama Caim.

— Não tem perigo, senhor. Sou filho único.

Sorri. Dei-lhe uma nota de dez reais.

— Obrigado, Caim.

— O senhor não precisa de mais nada? Não quer que mande vir companhia?

— Companhia?

— Uma moça para lhe aquecer?

— Muito obrigado. Não é necessário. A noite está quente. Preferia até uma moça que me arrefecesse.

— Isso não existe, pelo menos no Brasil.

Descalcei-me, estendi-me na cama e pensei em Moira. Um verso formou-se sozinho. Sentei-me a uma pequena mesa, junto à janela, abri o laptop e escrevi os restantes. Enviei o poema a quem o inspirara. Voltei para a cama e adormeci. Acordei com o sol queimando-me o rosto. Espreitei as horas no telefone. Quase sete. Levantei-me, despi a roupa amarrotada, lavei os dentes, tomei uma ducha rápida. Quando desci para o hall era um homem novo. Caim ainda lá estava, sentado na cadeira, descalço, com a cabeça atirada para trás. Ressonava aos solavancos. Não despertou. Saí, sem fazer ruído. Milhares de pessoas moviam-se apressadas ao longo dos passeios. Numa das esquinas havia uma pequena lanchonete chamada Bom Sossego. Sentei-me e pedi um suco de papaia com laranja e uma tapioca com queijo e presunto. Não me importaria de viver naquela cidade. Arranjaria emprego num dos jornais locais. Alugaria um quarto. Casaria com uma morena de seios pequenos e quadril largo, chamada Janaína, ou Inaê, ou Yara, e ao café da manhã ela cozinharia para mim. Comeria tapioca, beberia suco de pitanga, de caju ou de acerola. Leria o *Diário de Pernambuco* e os poetas locais. Talvez, muito de vez em quando, me ocorressem memórias de Angola, que eu logo afastaria com um descuidado encolher de ombros. Pensei nisso, pensei em Karinguiri e vieram-me as lágrimas aos olhos. Levantei-me, deixando a tapioca a meio. Paguei e fui-me embora. Caminhei durante horas, sem rumo, pelas ruas ruidosas do Recife. Estive em muitos lugares e em nenhum, como se atravessasse sonhos que por um breve instante se iluminavam e logo escureciam. Entardecia quando voltei a mim. Achei-me numa praça larga, junto ao mar. Um imenso pênis-farol, com uma glande florida, como uma doença exótica, erguia-se a partir de uma península de pedra, uns duzentos metros adiante. As pessoas apontavam a enormidade e riam-se. Um casal jovem pediu-me que os fotografasse. Fiz a fotografia seguindo as instruções do rapaz, que exigiu que eu incluísse o pênis-farol no enquadramento. Perguntei-lhe se sabia onde ficava o Hotel Nassau. Ele não sabia, mas um sujeito que ouvira a conversa orientou-me.

No regresso dei, de surpresa, com o bar Burburinho. Entrei. Havia pouca gente. Numa mesa afastada, no recanto mais sombrio, um homem dos seus cinquenta anos lia um grosso livro. Era um romance em francês com a despojada e discreta capa da Gallimard. Tive logo a certeza de que era quem eu procurava. Aproximei-me:

— Jean Mpuanga?

O homem soltou o livro, sobressaltado. Tirou os óculos e encarou-me:

— Quem é o senhor?

Estendi-lhe a mão:

— Daniel Benchimol, jornalista.

Mpuanga ignorou a minha mão estendida.

— O que quer?

Sentei-me diante dele:

— O que aconteceu ao avião?

— O senhor é policial?

— Não, já lhe disse que sou jornalista.

— Pode ser jornalista *e* policial. Nestes tempos difíceis tem muita gente que acumula ofícios.

— Não é o meu caso. Sou apenas jornalista.

— O meu nome é Paulo Costa Pinto, brasileiro, nascido na Bahia, empresário. Não sei a que avião se refere.

Levantei-me:

— Desculpe, enganei-me na pessoa. Tenha uma boa noite.

O homem agarrou-me o pulso, com firmeza. Tinha um sorriso meio de lado, estranho, mas não desagradável:

— Sente-se. Sente-se.

Voltei a sentar-me.

— Vamos imaginar que eu sou esse langa. Esse que você falou. Mpuanga é nome de langa, certo?

— Podia ser um nome angolano, mas, sim, ele é congolês.

— Ou era. Você não acha que uma pessoa pode mudar de nacionalidade?

— Pode mudar de passaporte. Não pode mudar de identidade.

— Por que não?

— Porque um camaleão é sempre o mesmo, incluindo quando muda de cor.

— Não, camarada, um camaleão vai sendo vários camaleões. Nós vamos sendo pessoas diferentes ao longo da vida. Uma pessoa pode ser ucraniana até certo ponto e depois brasileira. Foi o que aconteceu com a Clarice Lispector.

— Clarice nunca chegou a ser ucraniana. Ela tinha dois meses quando chegou ao Brasil.

— Certo. E o Coetzee?

— O que tem o Coetzee?

— Ele agora é australiano, não é?

— Não. É um bôer sul-africano que possui um passaporte australiano.

O homem sacudiu a cabeça, sorriu:

— Nabokov?

— Nabokov nunca deixou de ser russo. Continuou a ser russo, mesmo escrevendo em inglês, mesmo americano.

— Vejo que o senhor jornalista não acredita que uma pessoa possa refazer a sua vida com uma identidade diferente e um genuíno sentimento de pertencimento relativo ao país que o acolheu. Não consigo convencê-lo.

— Não, não consegue. Uma pessoa é o seu passado. O passado não muda.

Jean Mpuanga, ou Paulo Costa Pinto, quem quer que fosse, riu-se às gargalhadas.

— Tenho pena de você, senhor jornalista. O senhor não tem imaginação nenhuma. Para uma pessoa com alguma imaginação, o passado está em constante mudança. Você acha que o presente nasce do passado, mas é o contrário. O presente cria o passado. Uma pessoa com imaginação não fica presa ao passado e muito menos a fronteiras. Eu sou Paulo Costa Pinto, brasileiro, natural de Cachoeira, na Bahia. Vivi muito tempo em França e em Portugal, daí o meu sotaque.

Foi a minha vez de rir:

— Desculpe, não consigo imaginá-lo brasileiro...

— É porque você, perdoe a insistência, não tem um pingo de imaginação.

— Ainda bem. Sou jornalista. No caso de um jornalista, a imaginação é um defeito. Curiosamente, ainda há pouco tempo, ao entrar neste país, me acusaram de exibir demasiada imaginação para jornalista. Podia ter respondido, mas não respondi, que a realidade com a qual eu trabalho é que costuma padecer de um excesso de criatividade. Não tenho culpa. Preferia uma realidade menos... como dizer...? Menos criativa.

— Acredito. Contudo, vou-lhe pedir que faça um esforço. Imagine que eu sou, ou que fui, esse Jean Mpuanga que o senhor procura. Consegue imaginar?

— Para mim é mais fácil isso do que imaginar que o senhor é um brasileiro chamado Paulo Costa Pinto.

— Muito bem. Imagine-se agora na pele desse homem. O senhor é mecânico. Uma noite, decide não regressar a casa depois do trabalho. Está cansado e sabe que em casa o esperam cinco filhos e uma mulher que nunca se cala...

— Ouvi dizer que cozinha bem.

— Sim, cozinhava muito bem, lá isso cozinhava.

— Mas você estava cansado.

— Jean estava cansado. Não podia mais. Era-lhe insuportável retornar a casa. Começou a beber. Havia um Boeing 727, de uma companhia norte-americana, abandonado na pista; por vezes, depois que anoitecia, o Jean entrava no avião, sentava-se numa das poltronas da classe executiva e dormia. Foi assim numa sexta-feira de maio. Nessa noite abusou da cerveja e do caporroto. Subiu a escada e avançou, tropeçando nos próprios pés, ao longo do corredor. Sonhou que despertava e que via, através da pequena janela, as luzes de Luanda afundando-se na escuridão. Viu uma lua muito grande flutuando sobre a água negra. Na manhã seguinte, abriu a porta e não encontrou a escada. Também não encontrou o aeroporto. Não encontrou Luanda. O avião estava pousado numa longa estrada de terra batida. À volta não havia nenhuma construção, nenhum veículo, nenhuma lavra ou plantação, nada que denunciasse presença humana. A savana estendia-se até o horizonte. Acácias desarrumando o capinzal. Você sabe, deve ter visto muitas paisagens assim. Lembro-me de ouvir um vago zumbido, mas não vi insetos.

— Onde era isso?

— Não me interrompa. Eu estava muito assustado. Voltei a sentar-me. Fechei os olhos, contei até cem e, depois, levantei-me e espreitei novamente pela porta. A savana continuava lá.

Calou-se. O bar enchera-se de gente. Dois portugueses discutiam aos gritos. Um deles acusava o outro de o ter roubado. Não cheguei a perceber o que roubara ele. Paulo Costa Pinto/Jean Mpuanga ergueu-se. Tirou algum dinheiro do bolso e deixou-o na mesa, junto ao copo vazio.

— Tenho de ir. A minha mulher me espera para o jantar.

— Você casou de novo?

— Nunca fui casado.

Estendeu-me a mão:

— Gostei muito de conversar com você, senhor jornalista. Tenha uma boa noite.

Olhei-o, indignado:

— Não pode deixar-me aqui sem me dizer o que aconteceu com o avião.

— Não sei.

— Como não sabe?

— Nunca quis saber. Quando o Padilla me encontrou, quando descobriu que eu havia viajado como passageiro clandestino, ainda que involuntário, reagiu mal. Gritou comigo, isto é, gritou com o Jean. Quase me matava. Mas depois decidiu ajudar-me. Quero dizer, ajudar o muadié, o Jean.

— E ajudou?

— Devo-lhe tudo. Devo-lhe esta minha nova vida.

— Posso falar com o seu amigo?

— O Padilla viajou.

— Quando volta?

— Esqueça isso. Ele não vai querer falar com você.

— Por que não?

— Você sabe muito bem por que não.

— Prometo não publicar nada. Dou-lhe a minha palavra de honra. Só quero saber o que aconteceu.

— Qual o seu e-mail?

Tirei um cartão de visitas do bolso das calças. Ando sempre com dúzias deles. Escolhi um que me pareceu menos gasto, alisei-o e entreguei-o ao mecânico:

— Promete-me que fala com o Padilla?

— Vou falar.

— Conto consigo.

Jean abraçou-me, prendendo-me contra o peito forte, como se eu fosse um velho amigo. Deu-me as costas e saiu. Sentei-me ao balcão e pedi uma Coca-Cola. A noite redemoinhava, para além da porta do bar, e era agora ruidosa e suja como as de Luanda.

Não, eu não iria gostar de viver ali.

21.

«Querido Daniel,

Os antigos gregos, como os chineses ou os hebreus, não tinham uma palavra destinada a designar a cor azul. Para todos eles o mar era verde, acastanhado ou cor de vinho. Eventualmente, negro. Na pintura ocidental o mar só começou a ser representado a azul no século xv. Também o céu não era azul. Poetas descreviam-no como rosado, ao amanhecer; incendiado, ao lusco-fusco; leitoso, nas melancólicas manhãs de inverno.

Talvez sejam os nomes a dar existência às coisas. Não é o que afirma a Bíblia? "No princípio era a palavra e a palavra estava com Deus e a palavra era Deus."

Imagino uma sociedade secreta de poderosos demiurgos. Vejo-os atravessando os séculos, confundindo-se com as multidões, na sua fantástica missão. Eis que vão de povoado em povoado, disseminando nomes nas mais diversas línguas, e, à medida que essas línguas se enriquecem, o universo vai ganhando cor e complexidade.

Contrariando a tese anterior, sinto que acontecem na minha alma, frequentes vezes, um tumulto de sentimentos nunca nomeados. Talvez se tornem comuns, daqui a muitos anos, quando alguém lhes der um nome. Entretanto sou como um pintor que, em plena Idade Média, escolhesse um certo tom de azul para colorir o mar. Isso antes de existir a palavra azul. Antes de existir a cor azul. Contemplando as telas desse pintor, olhando aquelas ondas de uma cor impossível, as pessoas não conseguiriam esconder a estranheza e o horror. Imagino que se soubesses o que vai no meu espírito também tu experimentarias náusea semelhante. Tu e todos os outros.

Sou alguém que chegou cedo demais. Imagina uma mulher passeando entre dinossauros. Sou essa mulher. Um monstro, diriam os dinossauros.

Acordei hoje com esta certeza e queria partilhá-la contigo, antes da tua chegada. Recebi os teus poemas. Não sou a pessoa que estás inventando neles (inventamos sempre as pessoas que amamos). É mais complicado: sou uma pessoa que não poderias inventar. Estou além da tua imaginação. No entanto, gostei dos poemas. Gostei de me sentir, por instantes, essa outra mulher que te inspirou.

Beijos,
Moira »

22.

O motorista que me levou até Natal, Arzílio Takimoto, matou um homem. Dois rapazes entraram no táxi num domingo de chuva. Um deles sentou-se ao seu lado direito. O outro, atrás. Indicaram um endereço um tanto vago, num dos bairros mais degradados da periferia do Grande Recife. Lá chegados, o rapaz que seguia no banco traseiro encostou uma faca ao pescoço de Arzílio:

— Perdeu, coroa! Não reaja...

Arzílio segurou a lâmina da faca com a mão direita, afastando-a do pescoço, e com a esquerda desfechou um violento soco no nariz do rapaz sentado ao seu lado. O desgraçado levou as mãos ao rosto, coberto de sangue, abriu a porta e fugiu. O outro libertou a faca e enfiou-a cinco vezes nas grossas costas do motorista, antes que este conseguisse soltar o cinto, voltar-se para trás e acertar-lhe uma cotovelada tão forte que lhe quebrou os dois caninos. O assaltante largou a faca e fugiu pela janela direita. Arzílio perseguiu-o com o carro ao longo de um vasto descampado coberto de lixo e de vegetação rasteira, até o atingir. Saiu do carro e aproximou-se do corpo estendido.

— A minha perna! — choramingou o rapaz. — Você quebrou minha perna!

Arzílio acertou-lhe um pontapé no queixo. Prendeu-lhe o pescoço com a bota esquerda e com a direita pôs-se a pisar-lhe a cabeça, uma, duas, três vezes, até que o rapaz deixou de se mover.

— Quando o larguei já não tinha cara.

As ruas de Natal sucediam-se umas às outras, desertas e idênticas. A noite cercava-nos, imóvel, como se estivesse ali desde sempre e não pretendesse sair nunca. Chegados ao hotel, Arzílio ajudou-me a tirar a mala do porta-bagagens e, depois, despiu a camiseta para que eu pudesse ver as cicatrizes. Também tinha marcas na palma da mão direita e nos dedos. Contou-me que perdera mais de cinquenta quilos desde aquele violento domingo. Ainda assim era um homem imenso e sólido como um embondeiro. Despedi-me dele e entrei. Um relógio preso à parede, sobre o balcão da recepção, marcava 2h17. O hotel chamava-se Alma, um nome em absoluta desarmonia com o edifício, uma torre envidraçada, sem personalidade nem um vago esboço de emoção. Abri a porta do meu quarto e sentei-me na cama, agoniado. Reparei que na parede havia uma serigrafia de um dragão cuspindo fogo. Aquilo lembrava-me alguma coisa. Tirei do bolso das calças o cartão que Arzílio me oferecera, olhei-o uns segundos, pensei em jogá-lo no caixote de lixo, mas não o fiz. Sentia vergonha de mim mesmo. Karinguiri não teria escutado a história de Arzílio em silêncio. Protestaria. Exigiria ao motorista que parasse o carro. Sairia, arrastando a mala, para a escuridão imensa, e ficaria rindo com os seus botões – e o seu riso comoveria as estrelas.

Veio-me uma saudade da minha filha e, com essa saudade, um remorso agudo. Falhara enquanto pai. Não conseguira protegê-la.

Despi-me e deitei-me. Ouvi, do outro lado da parede, uma mulher a gemer. Ao princípio era um lamento demorado, quase um choro, mas depressa subiu de intensidade até se transformar num uivo rouco, depois num choro convulso e, finalmente, numa gargalhada vitoriosa. Escutei uma voz de homem, num apelo inútil:

— Calma! Calma! Você vai acordar todo mundo!

A seguir o silêncio.

Na manhã seguinte despertei com uma vaga dor de cabeça. Desci para a recepção. O café da manhã era servido numa sala ao lado. Escolhi uma mesa junto à janela. Pedi uma tapioca com queijo, presunto e tomate. Estava a terminar o prato quando Moira entrou. Trazia a alta cabeleira coberta com um turbante enorme, em rasgados tons de azul e vermelho, e um vestido muito curto, nas mesmas cores. Avançou para mim com um sorriso. Levantei-me e abracei-a. Senti os seios dela de encontro ao meu peito:

— Aqui estás tu — disse ela. — Não acreditava que viesses.

— Qual é o número do teu quarto?

Moira sentou-se. Cruzou as longas pernas num gesto estudado. Sorriu, acompanhando o meu olhar:

— Gostas?

— Gosto muito.

— Já não estou neste hotel. Mudei-me para a casa do Hélio.

Levantei-me. Servi-me de mais café. As minhas mãos tremiam. Voltei a sentar-me:

— E a máquina? A tal máquina de filmar sonhos?

— Incrível! Tens de ver por ti. Estou a trabalhar com eles, com a equipe do Hélio. Para mim é um projeto artístico. Vai ocupar-me durante muitos meses. Talvez anos.

Contou-me, os olhos brilhando, enquanto agitava diante do meu espanto o azul metálico das unhas, que passara os últimos dias a pintar aquarelas. Pintava animais, plantas, todo o tipo de objetos, fenômenos atmosféricos, rios, ondas, acidentes geográficos. As aquarelas eram depois digitalizadas, acumulando-se num enorme banco de imagens. Primeiro, Hélio estuda a atividade cerebral de voluntários adormecidos. Os voluntários vão sendo despertados a intervalos de tempo muito curtos. Relatam, a cada vez, aquilo com que estavam sonhando. O neurocientista e os seus assistentes procuram padrões que possam ser associados a diferentes imagens. A informação é introduzida num computador. Finalmente, invertendo o processo, é possível produzir filmes curtos a partir da atividade cerebral de um sujeito sonhando.

— Ainda não acredito!

Moira soltou uma gargalhada. Parecia feliz com a minha descrença:

— Até agora eles recorriam a fotografias tiradas da internet. O resultado não eram exatamente filmes, mas sucessões de imagens desconexas. Com as aquarelas e um programa de computador adequado consegue-se alguma fluidez. Um certo movimento. Ainda são filmes muito imperfeitos, mas já são filmes.

— Só acredito vendo.

— Vais ver. Mas para isso não podes dormir esta noite. Tens de chegar amanhã ao laboratório em estado de privação de sono. Eles ligam-te a uma máquina, adormeces, e gravam-te os sonhos.

— Não sei se quero fazer isso.

— Só assim saberás se resulta.

Fui forçado a concordar. Terminei de beber o café:

— Certo. Eu alinho!

Moira sorriu:

— Posso saber como tencionas manter-te acordado durante as próximas vinte e quatro horas?

— Lendo. Escrevendo. Bebendo café.

— Lendo?! Não preferes que eu te ajude a atravessar toda essa cruel eternidade?

Fixei os olhos nos dela, tentando compreender se estava a troçar. Moira sustentou o meu olhar, sem desfazer o sorriso. Nessa manhã levou-me à lagoa do Pitangui, a uns trinta quilômetros de Natal. Almoçamos por lá, sentados a uma mesa meio imersa dentro da água. À tarde, fomos ver o cajueiro de Pirangi. O Rio Grande do Norte cultiva um desmedido orgulho da árvore em causa. O exemplar, que na verdade são dois, talvez até mais, passa por ser o maior do mundo. Moira enroscava-se a mim, enquanto caminhávamos sob o verde rumor da imensa e múltipla árvore.

Beijou-me nos lábios:

— Ainda sonhas comigo?

Disse-lhe que não, nunca mais sonhara. Parecia-me, todavia, que, onde quer que ela estivesse, a realidade escurecia e se deformava, como nos sonhos.

— É como se não pudesse haver realidade onde existes tu. Assim como a natureza tem horror ao vácuo, a realidade tem horror a ti. És uma espécie de orquídea com forma humana.

Olhou-me, surpresa:

— Devo tomar isso como um elogio ou como um insulto?

Encolhi os ombros:

— Não sei.

Jantamos num pequeno restaurante japonês. Era meia-noite quando chegamos ao hotel. Moira subiu comigo. Entrou comigo no quarto.

— E o Hélio? — perguntei enquanto ela enfiava os dedos por dentro da minha camisa e me beliscava os mamilos.

Moira ergueu as sobrancelhas:

— O que tem o Hélio?

Não respondi. Baixei-lhe as alças do vestido, beijei-lhe o peito, e outra vez me assaltou a sensação de já ter vivido um instante idêntico. Alguma peça parecia ter-se quebrado ou corrompido na meticulosa engrenagem do tempo. Era como se este estivesse aos saltos, recuando, detendo-se, para a seguir se adiantar vários minutos. Lá estava eu na cama, com Moira às gargalhadas, de olhos cerrados, a galope sobre mim. Ela soprando ao meu ouvido palavras obscenas. E antes disso – ou depois disso – eu segurando-a pelas ancas, espantado com o brilho que emanava dela. Atrás de nós, o dragão cuspindo fogo. Gargalhadas, de novo. Houve uma altura em que adormeci, ou julguei que adormecia, mas logo Moira me sacudiu, me sacudia, impaciente:

— Não durmas! Não podes dormir!

Levantei-me para abrir as janelas, porque dentro do quarto já não se podia respirar. Entrou uma brisa. Entrou uma pequena luz aturdida. Vi Moira ajoelhada na cama, sorrindo, enquanto acariciava o sexo:

— Vem!

No táxi, a caminho do Laboratório do Sonho, Moira beijou-me de leve na testa. Esforçou-se por colocar alguma ordem no meu cabelo, que crescia em todas as direções, como se quisesse fugir-me da cabeça:

— Compõe lá um sorriso. Não estás com ar de quem não dormiu, estás com ar de quem ainda nem sequer acordou.

Hélio recebeu-nos à porta do Laboratório do Sonho, um pequeno edifício branco, ladeado por duas altas palmeiras. Lá dentro flutuava uma luz sem cor e sem misericórdia, como aquela que, certamente, ilumina as almas no purgatório. Estendi-me numa pequena cama articulada. Uma moça ruiva, sardenta, prendeu-me uma teia de fios à cabeça.

— Relaxe — disse Hélio.

Eu cabeceava de sono. Olhei para o rosto da moça. As sardas giravam, sob a pele muito branca, como minúsculos caranguejos dançando na areia de uma praia. Uma sombra atravessou o esplendor e percebi que era um mabeco. Acordei. Hélio olhava para mim:

— Com que sonhava você?

— Um cão, um cão selvagem...

— Maravilha. Volte a dormir.

Um comboio. Um comboio que avança através de uma floresta escura. Eu, alheio a tudo. Passavam árvores, cujo nome desconhecia, e todas elas me ignoravam. Havia pessoas sentadas diante de mim, mas não tinham rosto.

— E agora? Com o que você sonhava?

— Não sei dizer. Eu ia para Berlim, num trem. Lembro-me de dois homens, à minha frente, mas não tinham cara...

— Certo. Relaxe...

— Um de nós destruirá o outro — ouvi a voz e voltei-me. Dei com um velho em pé contra o poente. Era altíssimo, todo vestido de preto e, embora eu não lhe visse as pernas, porque o tipo estava de calças compridas, sabia que eram de vidro.

— Sonhou?

— Sim. Um homem extremamente alto. Um homem com pernas de vidro. Dei-lhe um tiro nas pernas.

Lá pela décima vez que Hélio me despertou comecei a sentir-me irritado. Disse-lhe que talvez fosse melhor suspender a experiência. Ele sorriu-me. Fez-me beber uma infusão adocicada com sabor de menta e mel. Dessa vez levei mais tempo a adormecer. Sonhei que acordava com um forte prurido nas omoplatas, e que passado um pouco me nasciam asas. A minha mãe achava que eu me estava me transformando num anjo. O meu pai contrariava-a aos gritos: "Uma avestruz, não vês que é uma avestruz?!". A seguir sonhei que tinha um caso com duas gêmeas contorcionistas jamaicanas. Viajava com elas. Dobrava cuidadosamente as gêmeas para colocá-las na mala. A meio da viagem tirava as gêmeas da mala e fazia sexo com ambas.

— Sonhei com duas gêmeas — tentei explicar quando Hélio me acordou. — Eram duas gêmeas contorcionistas. Saíam de dentro de uma mala.

Finalmente acordei sozinho na sala. Consultei o relógio: 12h32. Percebi que, depois de me terem explorado ao máximo, roubando-me todos os sonhos, me haviam deixado dormir. Ergui-me a custo, confuso, e fui procurar Hélio e Moira. Encontrei-os no pequeno bar do edifício. Estavam sentados a uma das mesas. Não me viram entrar. Hélio, inclinado para diante, prendia os delgados pulsos da artista moçambicana. Parecia assustado, como se tivesse acabado de receber, através dela, uma notícia terrível.

Viram-me. Moira recolheu as mãos. Hélio ergueu-se de um salto:

— Ah! Você acordou!

— Não tenho certeza.

— Quero agradecer-lhe a paciência. Teve um cara que tentou me bater quando o despertei pela trigésima sexta vez.

— Entendo muito bem. O que vocês fazem é tortura. Alguém lhe tentar bater foi o mais estranho que aconteceu?

— Não. Já tivemos situações um tanto bizarras.

— Como você sabe que as pessoas não mentem quando lhe dizem que estavam a sonhar com isto ou com aquilo?

— Em alguns casos dá para conferir. Por exemplo, você disse que sonhou com um cão, com um cão selvagem, e isso está de acordo com os dados que já tínhamos, porque outras pessoas também sonharam com cães. Por vezes, os sonhadores mentem. Ficam constrangidos...

— Sonhos eróticos — interrompeu Moira, sorrindo.

— Acontece, sim, sonhos eróticos, mas não só. Imagine que você sonha que está a cometer um crime abominável. Provavelmente não nos vai querer contar esse sonho.

— Mas vocês podem descobrir, vendo os filmes.

— Sim, tem razão, por vezes descobrimos.

— Não se sente uma espécie de *voyeur*?

Hélio riu-se:

— Sem dúvida, mas prefiro dizer que sou um observador de sonhos.

Lembrei-me do que me dissera Moira na Cidade do Cabo:

— Assim como um observador de pássaros?

A moça levantou-se:

— Deves estar exausto, angolano. Vamos almoçar e depois eu levo-te ao hotel.

Hélio estendeu-me a mão:

— Mais uma vez muito obrigado. — A seguir tirou um envelope do bolso do casaco. — Antes que me esqueça. Chegou isto para si.

Reconheci a caligrafia. Hossi Apolónio Kaley alcançara-me. Agradeci a Hélio, dobrei o envelope e guardei-o no bolso das calças. Almocei com Moira num pequeno restaurante a peso e depois chamamos um táxi. Minutos mais tarde, na cama, ela disse-me:

— É difícil mentir quando estamos nus.

Como estávamos os dois nus, a frase soou-me autêntica.

Moira prosseguiu:

— Tu sabes que é assim. Todos os amantes sabem. Os torturadores também.

— Por isso, os torturadores despem as vítimas?

— Precisamente. Estou a lembrar-me de uma pesquisadora israelita, Edith Spencer Cohen. Ela diz que os homens mentem muito mais durante os meses frios, quando estão cobertos de roupa: casacos, cachecóis, chapéus. As mulheres mentem apenas um pouco menos durante os meses quentes. No geral, nós, as mulheres, mentimos muito. Muitíssimo mais do que os homens. Também falamos mais. Utilizamos em média vinte mil palavras por dia. Vocês ficam-se pelas sete mil. Mil são palavrões...

Ri-me às gargalhadas:

— É verdade?

— Mentimos mais porque somos seres complexos.

A mentira é uma arte que os simples de espírito dominam mal.

— Concordo. Mentir, mentir bem, com imaginação e elegância, é uma manifestação de inteligência e de sofisticação. De resto, a verdade sempre me pareceu muito sobrevalorizada. Em democracia não existe uma verdade, existem versões. Nas ditaduras, sim, há uma única verdade: a versão oficial!

— Não acredito! Estás a fazer o elogio da mentira?

— Tu começaste...

— Não. Eu comecei por dizer que não te iria mentir, porque estamos nus e é difícil mentir quando estamos nus. E espero que tu também não me mintas. Se me mentires eu vou perceber.

— Combinado.

Sentou-se sobre o meu peito:

— É verdade o que disseste há dias, que sonhaste que estavas na cama comigo, nesta cama, neste mesmo hotel?

— É verdade. Lá, na Cidade do Cabo. Sonhei conosco. Sonhei com esse dragão na parede...

— E todos os outros sonhos?

— Verdade, juro pela saúde da minha filha.

— Sabes o que o Hélio pensa sobre os teus sonhos premonitórios?

— Não lhe falaste dos meus sonhos contigo, espero.

— Falei dos outros.

— Menos mal. Seja como for, não estou interessado nas teorias do Hélio...

— Pois devias ouvi-lo.

O tempo é uma dimensão como o comprimento, a largura ou a altura. Assim, não faz qualquer sentido dizer que o tempo passa. Não passa. Está. Só conseguimos viajar ao longo dele numa única direção – a direção da entropia, da destruição –, mas isso não significa que se esgote. Significa apenas que estamos a avançar. Uma estrada não desaparece à medida que a percorremos. Aquele imbondeiro grande, à beira dessa estrada, existia antes de passarmos por ele e continuará a existir depois que o deixarmos para trás. Deste modo, segundo Hélio, talvez seja possível que nos recordemos de eventos futuros, muito importantes ou muito traumáticos. Pode ser que nos ocorram, por vezes, rápidas memórias de pessoas que ainda não conhecemos, mas que irão marcar profundamente a nossa vida.

— O Hélio acredita que certas pessoas, como tu, desenvolveram uma aptidão especial para se recordarem do futuro — concluiu Moira. — Acha que te lembras de mim porque eu vou ser, porque eu sou, alguém muito importante na tua vida.

— E tu, acreditas nisso?

— Agrada-me a ideia.

— De seres alguém muito importante na minha vida?

— Agrada-me a ideia de que te recordes de uma pessoa que eu ainda não sou. Olho-me nos teus olhos, como num espelho mágico, e vejo quem serei.

Só me recordei da carta que Hélio me entregara depois que Moira saiu do quarto, já o sol ia alto.

23.

«Luanda, 24 de outubro de 2016

Querido compatriota,

    Deves querer saber por que te escrevo uma carta, uma verdadeira carta, em bom papel, quando vivemos na era do correio eletrônico e da comunicação imaterial. Primeiro, porque sou um homem de outro século, com a mesma idade que tu, mas muitíssimo mais velho, tão velho que prefiro escrever à mão a teclar num computador. Agrada-me o cheiro do papel e da tinta permanente. Depois, porque não quero que a polícia do pensamento leia o que agora escrevo. Acredita, meu mano, eles vigiam-nos a ambos. Vasculham todo o nosso correio eletrônico. Assim, escrevi esta carta e entreguei-a a um amigo que viajou hoje para São Paulo. Pedi-lhe que, uma vez desembarcado, a colocasse nos correios.
    Não entendi por que te foste embora, a correr, como se fugisses do diabo, naquela maldita tarde. Pensaste mesmo que eu ia matar o homem?!
    A pistola não tinha balas.

Não te disse isso porque precisava do teu susto, precisava que o teu susto fosse autêntico, para compor o cenário. Resultou. O senhor Jamal, ou Ezequiel, qualquer que seja o nome dele, não me volta a aborrecer.

A mim, o que me assusta são esses buracos na memória. Alguém avança para mim, e nunca sei se é um velho amigo a querer me abraçar ou um desafeto com uma pistola na mão. Então, por uma questão de sobrevivência, trato a todos como inimigos.

Estou a pedir desculpa, se acaso te perturbei.

Contudo, não foi para me desculpar que decidi escrever-te estas linhas. Faço-o porque, visitando o meu sobrinho, fiquei a saber que daqui a poucos dias ele e os restantes companheiros pretendem iniciar a uma greve de fome. Exigem ser soltos, sem condições. Só voltam a comer no momento em que deixarem a cadeia. Saí de lá muito preocupado. O presidente não cederá. Acredito que os jovens também não. Vai ser uma tragédia. Alguém tem de os convencer a desistir. Infelizmente, eles só ouvem a tua filha. A minha esperança é que Karinguiri te escute a ti. Por outro lado, comecei a pensar numa operação para os libertar. Uma operação mais de acordo com a minha experiência militar e com a gloriosa tradição do 4 de Fevereiro do que com os vossos ideais (teus e dos miúdos). O pacifismo, meu irmão, é como as sereias: não respira fora do mar da fantasia, não se dá bem com a realidade. Muito menos com essa nossa realidade, tão cruel. Angola não é para os mansos.

Por favor, volta logo que te for possível. A luta continua.

Abraço, amigo,
Hossi Apolónio Kaley》

24.

Arzílio Takimoto esperava por mim, na recepção do hotel, às seis e meia da manhã. Colocou a minha mala no porta-bagagem do táxi e depois abriu-me a porta, sorrindo:

— Gostou de Natal, doutor?

— Ainda não sei.

Reli a carta de Hossi durante a viagem. Tudo nela me aterrorizava: o tom conspiratório; o aviso sobre a polícia; a anunciada intenção dos revus de desencadear uma greve de fome; a sombria, e provavelmente certeira, previsão de que o presidente se alhearia do caso; a determinação em organizar um novo 4 de Fevereiro, ou seja, um assalto às prisões, como aquele que, em 1961, em Luanda, tentou libertar um grupo de nacionalistas. Não só nenhum nacionalista foi libertado, como morreram quarenta guerrilheiros. A data é celebrada em Angola como o início da luta armada de libertação contra o colonialismo português.

O telefonou assobiou anunciando a entrada de uma mensagem na caixa de correio eletrônico. Era um número de Pernambuco: "O Padilla aceita falar com você".

Jean Mpuanga! Liguei para ele:

— Alô? Estou num táxi, a caminho do Recife. Meu voo ao Rio é no fim da tarde e de lá regresso a Luanda.

— Uma pena, amigo. O Padilla chegou ontem, mas viaja de novo após o almoço. Teria de ser antes das catorze horas.

Suspirei, nervoso:

— Certo. Vou ver se consigo mudar a passagem.

Liguei para uma agente de viagens, no Recife, com quem conversara horas antes, implorando-lhe para adiantar o voo três dias. Ela não escondeu a irritação:

— O senhor não se decide?!

Ao fim de meia hora lá consegui alterar o voo para o dia seguinte. Arzílio deixou-me à porta do Hotel Nassau. Dei-lhe uma boa gorjeta. Caim recebeu-me com um largo sorriso:

— O senhor voltou?

— Só por uma noite, Caim.

— Não vai querer uma moça?

— Não. Basta-me o quarto.

Deixei a mala com ele e caminhei ao bar Burburinho. Encontrei Jean na mesa em que o vira pela primeira vez. Estava acompanhado por um homem baixo, entroncado, de cabelo negro, muito liso, cara quadrada, largos olhos meigos. Levantaram-se os dois à minha chegada. Jean apertou-me a mão, com afeto, enquanto me apresentava ao outro:

— Charles Padilla, o maior ladrão de aviões do mundo... Daniel Benchimol, o maior jornalista de investigação de Angola...

Padilla sorriu constrangido:

— Não foi um roubo...

Sentamo-nos os três.

— Não foi um roubo! — insistiu Padilla, agora com mais firmeza.

Aproveitei a deixa:

— Então o que foi?

— Podemos chamar-lhe uma recuperação.

— Desculpe?

— O proprietário do avião contratou-me para recuperar o aparelho. Você conhece um general angolano chamado Amável Guerreiro?

Eu conhecia a história. Amável Guerreiro tornou-se empresário após o fim da guerra. Muitos outros generais fizeram o mesmo. Investiu primeiro numa frota de caminhões. Resolveu, depois, criar uma companhia aérea. Na época, parecia um bom negócio. O general foi aos Estados Unidos, avaliou várias possibilidades e, finalmente, optou por comprar um Boeing 727, em boas condições, embora já com muitas horas de voo, a uma pequena empresa de Miami, a Cheyenne Airlines. Pagou a primeira parte do combinado e a Cheyenne Airlines contratou Charles Padilla, um americano de origem cubana, para pilotar o avião até Luanda. Porém, numa dessas ironias cruéis em que a vida sempre triunfa sobre a ficção, o general morreu na queda de um helicóptero, no Huambo, poucos dias antes de concluir o negócio. Os filhos zangaram-se uns com os outros e o avião acabou por ficar esquecido na pista, acumulando multas e despesas de estacionamento.

Ouvi Padilla com atenção. As informações estavam de acordo com os dados que eu mesmo apurara, tantos anos atrás.

— Foi um voo curto — continuou Padilla. — Levei o avião até uma pista, algures no interior do Congo, onde me aguardava um outro general, também empresário, mas não angolano, congolês, que me entregou uma pequena caixa. Conferi o conteúdo da caixa, depois apanhei boleia até Kinshasa.

— Apanhamos — disse Jean.

— Sim, apanhamos. Quando descobri que transportava um passageiro clandestino era demasiado tarde. Disse aos congoleses que Jean era meu sócio. Se tivesse falado a verdade...

Jean Mpuanga riu-se:

— Se você tivesse falado a verdade eu não estaria agora aqui. Tinham-me despedaçado o corpo à catanada. Aquela gente não brinca em serviço.

— O Jean ajudou-me muito em Kinshasa — prosseguiu Padilla. — Sem ele suspeito que nunca teria conseguido sair. Até hoje acordo a meio da noite, com pesadelos terríveis. Na verdade, é sempre o mesmo pesadelo. Lá estou eu, no aeroporto de Kinshasa, tentando embarcar para os Estados Unidos, subo as escadas do avião, e então vem um soldado e arrasta-me para longe.

Quis saber o que havia na caixa.

— Qual caixa?

— O senhor disse que o general congolês lhe entregou uma pequena caixa.

— Diamantes, o que mais havia de ser? Finalmente conseguimos apanhar um voo para Paris. Voltei a Miami, entreguei os diamantes, recebi a minha parte e com isso investi numa pequena companhia de táxis aéreos aqui no Brasil. Temos apenas duas avionetas. Eu mesmo piloto uma delas. Não é um grande negócio, mas dá para pagar as contas. Chamei o Jean para me ajudar na manutenção dos aparelhos. É um excelente mecânico.

— Posso publicar o que me disse?

— Pode. Não fiz nada de errado. Não sou um criminoso.

Levantei-me. Conseguira a minha história. Não era tão interessante, é certo, quanto a maioria das ficções urdidas em torno do desaparecimento do avião. Um jovem comerciante paquistanês, num cassino clandestino, gerido por chineses, em Luanda, havia-me garantido que o Boeing fora roubado por fundamentalistas islâmicos: "Vão atirar o avião contra um navio de guerra americano. Bum! Vai ser um grande sucesso, amigo, uma enorme notícia mundial".

Anos mais tarde, num casamento em Benguela, na casa dos pais do noivo, conversei durante horas com um nacionalista dos tempos antigos, que fora preso pelos portugueses e quase perdera um olho na sequência de brutais interrogatórios. Era um homem esquálido, com o cabelo todo branco, mas a pele ainda lisa e lustrosa, esticada sobre as maçãs do rosto como o couro de um batuque. O velho arrastou-me pelo braço até um canto do quintal e ali, ocultos ambos atrás de cinco ou seis vigorosos pés de bananeira, explodiu num discurso violento contra o presidente e a sua *entourage*, acusando-os de trair os ideais de Mário Pinto de Andrade e Viriato da Cruz e de estarem a saquear o país como vulgares malfeitores. A determinada altura encostou a boca ao meu ouvido. O intenso bafo de álcool quase me derrubou:

— Lembras-te daquele avião que desapareceu, o Jumbo?

— Não foi um Jumbo, mais-velho, foi um 727. O Jumbo, o Boeing 747, é muitíssimo maior.

— Foi um Jumbo, miúdo. Foi um Jumbo. Sei muito bem o que é um Jumbo. Mas fosse um 727 ou um 747 ou até o próprio 007. A verdade é que desapareceu, e ouvi dizer que estás interessado em saber como...

— Sim, sim, claro.

— Pois eu digo-te. Conheces o Pascal Adibe...?

— Naturalmente, ex-traficante de armas francês ou colombiano, não sei bem, naturalizado angolano, nosso embaixador no Vaticano...

— ... E um homem de mão do presidente...

— Um testa de ferro...

— Testa de ferro, testa de ouro, eu sei lá, um tremendo canalha. Pois o avião seguiu para o Darfur carregado de armas, às ordens do camarada Adibe.

Alexandre Pitta-Gróz ficaria feliz se eu lhe desse uma daquelas versões. Paciência, pensei, terá de se contentar com a verdade.

— Conversei duas ou três vezes com o general Amável Guerreiro — Padilla disse isso enquanto me estendia a mão, a despedir-se. — Era um sujeito muito curioso.

— Maluco! — interrompeu Jean. — Era um maluco oficial, diplomado, com mestrado e doutoramento. Esteve um tempo internado em Cuba, num manicômio. Ouvia vozes.

— Ouvia vozes, sim. Contou-me que enquanto esteve internado em Cuba todos os malucos sonhavam com um anjo de asas roxas e que esse anjo lhes dava conselhos. A ele aconselhou a comprar um avião...

Voltei a sentar-me:

— O general contou-lhe isso?

— Sim. Era assim que ele explicava a compra do avião.

— E esse tipo com quem os malucos sonhavam, como se chamava ele?

Os dois homens olharam um para o outro. Olharam para mim como se me vissem pela primeira vez e eu tivesse um formidável corno de rinoceronte a irromper da testa:

— Como se chamava quem, o anjo?

— O homem vestido de roxo.

Padilla sacudiu a cabeça:

— Você está a brincar?

Levantei-me de novo. Forcei um sorriso:

— Desculpem...

Ao entrar no hotel, minutos depois, encontrei Caim à conversa com uma moça um pouco estrábica, de dentes tortos, que me sorriu como se eu fosse um príncipe.

— A Valquíria simpatizou com o senhor.

— A Valquíria não me conhece.

A moça endireitou-se. Prendeu as mãos à cintura e atirou o peito para a frente. Tinha uns seios em flor, redondos e duros, que a camiseta, muito recortada, revelava sem preconceitos.

— Não conheço, mas estou querendo conhecer.

Fui ríspido:

— Não será hoje.

Galguei as escadas pulando os degraus, de dois em dois, abri a porta do meu quarto e deixei-me cair na cama. Deitado de costas, conseguia ver, através da janela, um pedaço de céu. Havia uma pequena nuvem, isolada, no meio do profundo azul. Horas antes, ao acordar, abraçado à Moira, a mão direita segurando o seu seio esquerdo, estava a sonhar com uma nuvem idêntica. No meu sonho, um jovem mucubal, chamado Ressurreição Popular Generalizada, percorria o deserto do Namibe transportando um comprido escadote. Caminhava à deriva, sozinho, através da imensidão. Volta e meia desdobrava o escadote, firmava-o bem na areia, subia até ao último degrau e punha-se a tecer pequenas nuvens brancas com a própria saliva.

Levantei-me e fui até a janela.

Fechei a janela.

25.

«Quinta-feira, 3 de novembro de 2016

Fui visitar o Sabino. Cheguei revoltado à prisão. Saí de lá ainda pior. Estava tão nervoso que me perdi no regresso a casa. Parei o carro e entrei numa tasca qualquer, pedi uma cerveja. Não queria falar com ninguém. Precisava respirar.

Só respirar.

Perguntei ao Sabino como estava. Não me falou dele. Começou a desenrolar uma crônica dos sofrimentos alheios. Um dos manos vem passando muito mal, disse, malária. Por favor, tio, preciso que me consiga medicamentos. Outro sofre de diarreia. Um terceiro, os guardas partiram-lhe os óculos, de pura maldade, e assim sem óculos vê muito pouco, desconsegue ler. Passou depois a expor os problemas dos presos de delito comum, com os quais os revus haviam criado amizade.

— E você? — interrompi. — Quero é saber como você está.

O rapaz ergueu o sobrolho, um pouco espantado:

— Tudo bem, meu tio. Sou forte.

Encostei a testa na dele. Baixei a voz. Disse-lhe que não se preocupasse:

— Vou tirar vocês todos daqui.

— Como vai ser isso?
— Falei com alguns maninhos, do tempo das lutas...
— Não, tio! Por favor, isso não!
— Vocês não querem sair?
— Não através da violência. O senhor prometa-me que não tenta nenhuma loucura.

Vão começar uma greve de fome, disse-me. Estão convencidos que uma greve de fome despertará as pessoas, mesmo muitas daquelas que ainda apoiam o regime, mostrando ser possível resistir sem fazer tiros. Procurei demovê-lo:

— Você é miúdo. Não sabe o que fala. Os homens que estão no poder não têm coração. Se você abrir o peito deles, lá dentro só tem notas de cem dólares. Maços e maços de notas.

— Todo o mundo tem coração, meu tio.

Irritei-me. Levantei a voz:

— Você acha que vai salvar o país?

Ele olhou-me muito sério. Parecia o meu pai:

— Para salvar Angola não podemos deixar ninguém de fora. É um desafio que temos de enfrentar juntos. Todos juntos.

Estava na tal tasca, ainda com as palavras do Sabino a sacudir-me a cabeça, quando senti que alguém se sentava diante de mim. Levantei os olhos da cerveja. Era o 20Matar. Reparei nas pequenas mãos, de unhas esmaltadas, no cabelo cortado rente, com tanta precisão que parecia desenhado a régua e a compasso.

— Problemas, brigadeiro?!
— O que faz aqui?
— Ia passeando. Faz parte do meu ofício: ir passeando. Portanto, ia passeando quando vi o senhor e resolvi dar-lhe um conselho. Depois que a guerra acabou o senhor tem levado uma boa vida. Nós o tratamos bem, não tratamos? Fomos muito generosos para com os vencidos. Nunca se viu nada assim na dolorosa história do mundo. Até em Cuba o senhor

esteve, vivendo às custas da nossa grande nação, a recuperar de um perigoso desarranjo emocional, a comer e a beber do bom e do melhor. Depois voltou à terra natal e abriu aquele mínimo hotel de chá, lá em Cabo Ledo. E eu pergunto: de onde veio o vil metal?

— Pedi empréstimo a um banco.

— E a quem pertencem os bancos aqui nesse nosso belo país? A quem pertence tudo? Ouça, meu kota, temos sido pacientes. Fechamos os olhos a certas situações irregulamentares...

— Que situações?

— O hotel está construído quase em cima da praia. Não pode ser, kota, a praia é domínio púbico.

— Você fala alguma língua nacional?

O gajo olhou para mim, confuso:

— Não, só falo mesmo português.

— Então tem obrigação de falar direito. O seu português é todo estropiado.

O gajo respirou fundo:

— Como disse antes, mais-velho, com todo o respeito, só vim dar-lhe um conselho: não se meta em política. Já agora, evite ser visto com aquele jornalista que está sempre de mau amor. O pai da maluca. É péssima companhia. E fale com o seu sobrinho. Converse-lhe bem. Tem de o convencer a não arranjar mais confusões. Essa coisa da greve de fome, por exemplo, se isso for para a frente vai desmoralizar o país. Não vale a pena...

— O Sabino não me ouve.

— Pois faça com que ouça.

Disse isso, fez um rápido aceno com a minúscula cabeça, tão delicadamente penteada, e desapareceu. Terminei de beber, paguei, saí. Fazia muita noite lá fora. A escuridão ladrava pelas ruas. Corri até ao carro. Sentia o crânio a estalar, como se tivesse uma outra noite, ainda mais antiga, expandindo-se no cérebro, lutando para sair. Pensei, com terror, que talvez todo o denso negrume estivesse a soltar-se de dentro de mim, pelas orelhas, pelo nariz, pelos lábios, à medida que eu respirava. Eu exalava a noite, à revelia, como antigamente todos aqueles pobres prisioneiros, nas minhas mãos, mijando, excretando sangue, suor e medo.

Fui dirigindo através das ruas hostis, quase às cegas, até que, por fim, a fraca luz de um candeeiro iluminou uma curva conhecida.

São agora duas da manhã. Cheguei a casa há poucos minutos. Tomei um banho quente. Engoli dois Xanax. Carreguei a Glock. Está debaixo da cama, ao alcance da mão.

Sexta-feira, 4 de novembro de 2016

Escrevi ao Daniel Benchimol, contando da minha visita à prisão. Se ele não conseguir convencer a Karinguiri a anular a greve de fome, receio que possa acontecer uma tragédia.

Sábado, 5 de novembro de 2016

Essa manhã sucedeu um prodígio. Estava eu na praia, fingindo pescar, concentrado no luminoso movimento das águas e no som bonito que fazem as pequenas ondas ao se desmancharem de encontro à areia. Tanta luz. Tantas eternidades a sucederem-se sob o sol. Então ouvi passos atrás de mim e virei a cabeça. Uma mulher estava parada a uns trinta metros. Quando a olhei ela caiu de joelhos, cobrindo os lábios com as mãos, como se tentasse conter um grito. Larguei a vara de pesca e levantei-me de um salto. Levei dezoito anos a percorrer aqueles trinta metros. Ajoelhei-me junto a ela, abracei-a e ficamos os dois assim, naquela posição, a chorar nos braços um do outro.

26.

O voo da TAAG, do Rio de Janeiro para Luanda, sai diariamente às 21h45. Cheguei ao Galeão, vindo do Recife, por volta das 17h, fiz o check-in, passei a polícia de fronteiras e sentei-me à espera do embarque. Fechei os olhos. Voltei a ver Ressurreição Popular Generalizada deambulando, alado, através do areal infinito. Vi as grandes vulvas escarlates das welwitschias, e os seus tentáculos calcinados e, todavia, vivos. As plantas olhavam sem estranheza, sem curiosidade, para Ressurreição Popular Generalizada. Estavam ali havia quatrocentos anos, seiscentos anos, algumas estavam havia mil anos, prendendo o céu ao chão com as suas raízes profundíssimas e direitas como pregos. Os ancestrais daquelas plantas haviam respirado o mesmo ar dos dinossauros. Seres tão antigos não estranham nada. O telefone despertou-me. Lucrécia! Fechei outra vez os olhos. Não queria atender. Não suportava escutar aquela maldita voz, amarga e imperativa. Contudo, atendi. Assim que a cumprimentei, começou a chorar. Era como se estivesse abraçada a mim, com a cabeça afundada no meu peito, de tal forma que eu podia sentir o perfume do cabelo dela, as mãos quentes coladas às minhas costas, a umidade das lágrimas na minha camisa.

— A nossa menina vai morrer — gemeu.

Levantei-me. Corri para um canto, a esconder-me. Não queria que os outros passageiros me vissem a chorar.

— Disparate, Lucrécia! Isso não vai acontecer.

— Ela não come. Não quer comer nada. Eles estão em greve de fome!

— Já? Pensei que fosse só daqui a alguns dias...

— Então tu sabias? Sabias e não me disseste nada?!

— Estou no aeroporto, no Rio de Janeiro. Mal desembarque, a primeira coisa que faço é ir à cadeia conversar com ela.

Assim fiz. Armando Carlos estava à minha espera. Fui a casa, tomei um banho, almoçamos num restaurante ao ar livre, aonde o meu amigo gostava de ir, e depois ele acompanhou-me até a prisão. À entrada, ao ver a minha identificação, o guarda franziu o sobrolho. Levantou o telefone e fez uma chamada:

— Os senhores vão ter de aguardar. Podem esperar lá fora.

Sentamo-nos num banco de pedra, num pátio estreito, fechado por altos muros, à sombra rendilhada de um velho cajueiro. A copa, de ramadas tortas, desarrumadas, parecia brincar às apanhadas com o sol. Galinhas ciscavam, distraídas, a poeira do chão. Uma senhora enorme, vestida de panos, veio abraçar-me. Apresentou-se:

— Sou a dona Filó, a mãe da Lila. A Karinguiri é parecida com o senhor, tem o seu nariz, embora, sinceramente, eu a ache muito mais bonita. Sem ofensa: puxou à mãe, até na cor da pele. Mas os meninos disseram-me que ela tem o seu coração. Deve ter muito orgulho nela.

— Tenho, sim.

— Coragem! Precisamos aprender com os nossos filhos a fazer coragem — disse isso e despediu-se.

Eu não sabia quem era a Lila. Assim que dona Filó entrou, perguntei a Armando. O meu amigo aborreceu-se:

— A sério: tu não sabes quem é a Lila?

— Não, desculpa. Devia saber?

— É claro que devias saber. Devias saber o nome de todos os jovens que foram presos com a tua filha. A Lila Monteiro é cantora. É a namorada do Bicho Mau.

— Um deles chama-se Bicho Mau?!

— É um dos nomes dele. Bom miúdo. Trabalhou comigo.

— Foi ator?

— Foi ator, sim. A partir de certa altura começou a fazer rap. Tornou-se um rapper muito conhecido. Odiado pelo regime. O problema é que tu, e muitos como tu, estão em Luanda, mas não vivem aqui, conosco. Não sofrem conosco.

— Estás a falar comigo, Armando. Eu não sou a Lucrécia!

— Não és a Lucrécia, bem sei. Mas também tu não vives aqui. Ficas fechado em casa a ler os teus livros. Sais cada vez menos. Antigamente ainda mergulhavas na Angola real, vez por outra, para entrevistar um desgraçado qualquer. Agora nem isso.

— Não é verdade.

— É verdade, sim. Enquanto jornalista, nos últimos anos, a única coisa que fazes é entrevistar escritores e artistas, quase todos estrangeiros, ou a viver no estrangeiro. Tens amigos nos bairros?

— Não.

— Pois não...

— Tu sabes que eu tenho poucos amigos.

Armando pousou a mão no meu ombro:

— Eu sou teu amigo.

Falou-me então dos revus. Os sete magníficos, como alguns jornais se referem a eles. Cinco rapazes e duas moças. Uma era a minha filha. A outra, Lila Monteiro, vinte e cinco anos, é cantora numa banda de rock. Nasceu em Benguela e vive lá durante a maior parte do ano. Ficou relativamente conhecida não só como cantora, mas também como organizadora de um festival de heavy metal que, em setembro, há cinco anos, reúne milhares de jovens provenientes de várias cidades do país. Eu nunca ouvira falar do festival. Lila namora o rapaz mais velho do grupo, Ivan Teixeira, dito Ivan-o-Terrível ou Bicho Mau. Bicho Mau tem trinta anos e, além de ator e músico, é também açougueiro.

Napoleão Pacavira, de vinte e dois anos, é fotógrafo. Começou por trabalhar para uma revista cor-de-rosa, propriedade de um dos filhos do presidente, até ser despedido. Não mostra orgulho do passado. Prefere fotografar manifestações, greves, protestos, tudo aquilo que constitui, como dizem os revus, movimentos de massas. Há três anos que documenta o drama das pessoas desalojadas à força, devido à especulação imobiliária. Lembrei-me, enquanto Armando me falava dele, de ter visto numa revista portuguesa uma série de retratos, em preto e branco, de vítimas das demolições forçadas. Sim, confirmou o meu amigo, são imagens de Napoleão. Ganhou um prêmio com esse trabalho.

O intelectual do grupo chama-se Rubem Monteiro. Estudou literatura africana em Lisboa. Publicou dois livros de poesia. Traduziu para português diversos títulos sobre técnicas de resistência pacífica. Esteve na praça Tahrir, no Cairo, em janeiro de 2011, no início da Primavera Árabe.

Semba Lopes é pedreiro. Há dois anos, durante uma das muitas manifestações contra a ditadura, um gigante, conhecido pela alcunha de Exterminador, partiu-lhe a testa com uma barra de ferro. O brutamontes chefia uma milícia, autointitulada Movimento Espontâneo pela Democracia, criada e sustentada pela polícia política. Semba continuou a manifestar-se, agora com uma cicatriz que lhe divide a testa, na vertical, até à base do nariz. Ele mesmo produz e vende camisetas com frases contra o presidente.

Sabino Kaley, o sobrinho mais velho de Hossi, tem vinte e cinco anos e é eletricista. Trabalha numa empresa que instala e repara geradores. Partiu dele a ideia de invadir a conferência, interrompendo o presidente e lançando contra a cara assustada do velho ditador notas de mil dólares manchadas de sangue. As notas eram falsas, o sangue não. O sangue foi Ivan-o-Terrível quem providenciou. Sangue de frango, ao que parece.

— Era aquilo ou um arroz de cabidela — concluiu Armando, e rimo-nos os dois. Um polícia interrompeu-nos:

— Daniel Benchimol? O senhor diretor quer falar consigo.

Conduziram-nos através de um corredor escuro até uma pequena sala, austera, onde nos aguardava um homem de ombros largos e olhos tímidos. Levantou-se para nos cumprimentar. Estendeu-me a mão:

— Li alguns dos seus artigos. É um prazer conhecer o senhor. — Pediu que nos sentássemos. Elogiou o espírito combativo da minha filha, lamentou a situação em que ela se encontrava. Depois soltou um suspiro, pousou as mãos na mesa e olhou para os próprios dedos, como se esperasse que eles respondessem por mim. — A sua filha, como o senhor sabe, insiste em prejudicar a imagem do país. Há três dias que recusa comer qualquer alimento sólido. Esse lamentável distúrbio alimentar...

— Não é nenhum distúrbio alimentar — interrompeu Armando Carlos. — Chama-se greve de fome, é uma forma de protesto não violento.

— Um distúrbio alimentar — prosseguiu o diretor, ignorando o meu amigo. — Um lamentável distúrbio alimentar, através do qual contaminou os restantes delinquentes políticos, ou melhor, os restantes políticos delinquentes. A sua filha, embora muito jovem, é quem comanda a associação de malfeitores que atentou contra a vida do presidente.

— São presos políticos! — insurgiu-se Armando.

O diretor olhou-o um breve instante. Havia na expressão dele mais enfado do que furor. A seguir voltou a concentrar-se nas próprias mãos. Continuou, num tom de voz ligeiramente tenso:

— Gostava que o senhor conversasse com a sua filha. Mostre-lhe que esse caminho pode ser muito prejudicial para ela. Para todos eles. Por favor, deixem a justiça seguir o curso normal. A justiça não pode ser sujeita a pressões. Angola é um país democrático e de direito.

— A minha filha está bem?

— Há três dias que só bebe água. Foi vista por um médico. Acho que sim, que está bem. O governo angolano preocupa-se com todos os seus cidadãos, mesmo com os rebeldes, os polêmicos, os desordeiros. — Ergueu os olhos para Armando Carlos. — Preocupa-se inclusive com os mais ingratos dos seus filhos. Vamos transferir os jovens para o hospital-prisão de São Paulo, onde poderão receber assistência médica adequada.

Armando Carlos levantou-se:

— Conheço muito bem a prisão de São Paulo. Passei lá três anos.

O diretor não se mostrou surpreendido:

— Espero que o senhor Armando, cujo trabalho também acompanho, tenha aprendido algumas lições com essa experiência.

— Sem dúvida.

Saímos dali diretamente para a sala de visitas, onde Karinguiri já nos esperava. Sorriu ao ver-nos:

— O meu pai trouxe com ele o grande ator. Quanta honra.

Armando Carlos curvou-se numa vênia teatral:

— A honra é toda minha.

Durante uns bons quinze minutos ficamos os três à conversa, como se estivéssemos sentados à mesa da cozinha, rindo uns com os outros, lembrando piadas e casos antigos. Quando as gargalhadas serenaram pousei as minhas mãos suadas nos dedos nervosos de Karinguiri:

— Estou preocupado contigo, filha. A tua mãe também. Acho que vocês já conseguiram o que pretendiam com essa greve de fome, chamaram a atenção da imprensa, dentro e fora do país. Agora podem parar, voltar a comer...

— Não. Chamar a atenção da imprensa é bom. Mas não é esse o objetivo da ação.

— O que querem vocês?

— Queremos aguardar em liberdade pelo julgamento. Algo a que, aliás, temos direito. Apenas isso.

— O que vocês fizeram, o que vocês estão a fazer, exige enorme coragem — disse Armando com a sua voz de radialista. — Sabes que eu também estive preso, há muitos anos, com outros companheiros, outros sonhadores, e também nós fizemos uma greve de fome. Não deu em nada porque naquela época não existiam redes sociais e estávamos completamente isolados do mundo. Ninguém queria saber de nós. Hoje é diferente, hoje já não existem ilhas, a informação circula. A esmagadora maioria das pessoas, dentro e fora do país, está do vosso lado. O regime terá de ceder...

— Não sei se cederá — interrompi.

— Vão ceder. Entretanto vocês têm de beber muita água, precisam se manter bem hidratados.

— Armando, por favor...

— Calma, amigo, deixa-me falar. Eles querem mandar-vos para a prisão de São Paulo, onde eu estive, logo após a independência, e que foi entretanto transformada em hospital-prisão. É uma boa ideia. Lá, vocês estarão todos juntos e terão assistência médica. Não se oponham a isso.

— Compreendo, tio — disse Karinguiri. — Não nos iremos opor.

— Uma greve de fome é um método de luta que exige disciplina. Para que resulte vocês precisam manter-se saudáveis e lúcidos. Os primeiros dias exigem uma enorme força de vontade. Tu tens essa força de vontade, não sei se os teus companheiros terão. Sentirás muitas dores, porque o teu organismo vai começar a devorar-se a si mesmo, primeiro os músculos, depois até mesmo os ossos. Talvez venhas a sofrer de arritmia cardíaca. Vais enfraquecer muito, qualquer pequena infecção pode ser perigosa. Por isso mesmo é importante que estejas numa cama de hospital, num ambiente limpo. E não te esqueças: tens de beber muita água.

— Vou fazer isso, tio. Por favor, olhe pelo meu pai.

— Vou olhar.

— E tu, pai, apoia a mãe. Tem paciência com ela.

Uma mulher-polícia aproximou-se timidamente. Inclinou-se, murmurando alguma coisa ao ouvido de Karinguiri.

— Sinto muito, pai. Vocês vão ter de sair.

Entregou-me uma folha dobrada em quatro partes, que eu tratei de esconder no bolso das calças:

— Lê isto quando tiveres tempo.

Saímos para o sol. Sentei-me, agoniado, no banco de pedra, à sombra do cajueiro. Armando Carlos sentou-se ao meu lado direito. Abraçou-me. Passado um pouco vimos sair dona Filó. Instalou-se do outro lado (levou um certo tempo a instalar-se) e também ela me abraçou.

27.

Viajei para Cabo Ledo dois dias após desembarcar em Luanda. Era um sábado. Quando cheguei o céu sangrava sobre o mar, não como é hábito, mas com um halo fúnebre ao redor, como um mau presságio. Tive a surpresa de encontrar Hossi na companhia de uma mulher bem nutrida, de ancas largas, rosto redondo, sorriso claro e franco. Hossi conduziu-a pela mão até mim:

— Quero apresentar-te a Ava. Falei-te muito nela.

Demorei alguns segundos a recordar-me:

— Ava?! Não pode ser...

Ela cumprimentou-me com dois beijos:

— Encantada.

Nessa noite, sentados os três a uma mesa com vista para o mar, que uma lua imensa iluminava, Ava contou como após a morte do marido, seis meses antes, decidira deixar Cuba para procurar Hossi.

— Nicolás morreu com noventa e um anos. Não morreu de velhice, não, ele estava rijo. Era saudável. Morreu de estupidez.

O espanhol dela era muito bonito. Parecia mais nova ao falar.

— Como assim, de estupidez? — perguntei.

— Nicolás gostava de jogar cartas com um grupo de outros velhos. Uma noite, ao voltar para casa, foi surpreendido por um garoto, um menino de quinze, dezesseis anos, que lhe mostrou uma navalha. Em vez de entregar o relógio, que era a única coisa de valor que tinha, o Nicolás deu-lhe um soco no nariz. Velho estúpido.

— Morreu ali?

— Não morreu logo, não. Foram chamar-me. Morreu nos meus braços, pedindo desculpa pelo transtorno, porque estava sujando de sangue o meu vestido novo.

Dias depois, ao arrumar os pertences do marido, Ava encontrou uma carta que lhe era endereçada. Nicolás, prevendo a morte, não devido a uma facada, claro, mas em razão da idade avançada, despedia-se dela. Explicava-lhe que tinha algum dinheiro guardado num banco espanhol. Ava comprou uma passagem para Madri. Ficou um mês em Espanha, retirou o dinheiro e de lá voou para Luanda.

— Durante todos aqueles anos, não houve um único dia em que eu não pensasse no meu angolano. Depois que o Hossi desapareceu recebi a visita de um agente da segurança de Estado.

— O capitão Pablo Pinto? — perguntou Hossi.

— Pablo Pinto?! Não, ele chamava-se Juan Ernesto.

— Um homem baixo, com uns óculos à John Lennon?!

— Sim. Juan Ernesto. Eu conhecia-o. Era casado com uma prima minha. Foi preso dois anos mais tarde. Por pedofilia. Morreu na cadeia. Matou-o um outro preso. Mas isso agora não interessa. Ele apareceu à minha porta. Fiquei assustada, porque percebi que tinha a ver contigo. Não o deixei entrar. O Juan tirou o chapéu. Trazia um panamá na cabeça, como se fosse um turista qualquer, tirou o chapéu e disse-me que tu tinhas voltado para Angola. — Ava ficou um instante calada.

Secou uma lágrima com um lenço de papel. — Disse-me que lamentava muito. Que tu lhe tinhas dito que me amarias para sempre e que esperarias por mim em Angola. Por isso vim. Devo a minha felicidade àquele homem mau.

Ava não conhecia uma única pessoa em Angola e não fazia a menor ideia de como encontrar Hossi.

— E o Facebook? — perguntei.

Ela riu-se:

— Nunca usei Facebook. Não tínhamos computador em casa. E a internet na ilha, você sabe...

No avião, a caminho de Luanda, Ava conheceu uma jovem empresária angolana, chamada Rosa Prata, a qual, não sendo rica, vem gerindo com sucesso um negócio de compra e venda de artesanato. Ava contou-lhe que ia a Angola à procura de um homem por quem se apaixonara, dezoito anos antes. Perdera-o, por traições da vida, mas jamais o havia esquecido. Rosa abraçou-a com calor: "Vamos encontrar esse teu homem, mana. Eu te prometo".

A empresária insistiu para que Ava ficasse no apartamento dela. Morava no Quinaxixe, num bom apartamento, que partilhava com uma sobrinha. Não foi difícil localizar Hossi. Um antigo guerrilheiro, com quem Rosa mantinha negócios, lembrava-se muito bem dele. Mais dois ou três telefonemas e alguém lhes falou no Hotel Arco-Íris. Dois dias depois, um sábado, Rosa levou Ava, de carro, até Cabo Ledo.

— Tinha muito medo de que o Hossi estivesse casado, bem casado, com mulher e filhos. Eu não queria perturbar a vida dele — disse Ava. — O meu segundo maior receio era que ao ver-me assim, velha e gorda, o meu preto já não gostasse mais de mim.

Hossi agitou-se na cadeira, segurou a mão da mulher:

— Tu não envelheceste, amor. Estás ainda mais bonita.

Levantei-me:

— Não quero incomodar...

O antigo guerrilheiro sorriu, nervoso. Hesitou:

— Não, não. Fica! Não gostas de me ver apaixonado?!

— Pelo contrário. Sinto é que estou a mais. Deixo-vos com essa lua enorme, tão bonita...

— Mandei-a fazer de propósito para a Ava — disse Hossi segurando-me por um braço. — Fica. Vais beber conosco. Vais beber pela felicidade deste teu amigo.

Brindamos. Bebemos. Hossi mandou vir mais cerveja. Ava acompanhou-nos com a lendária bravura cubana. Por volta das onze da noite pediu desculpa e levantou-se. Estava cansada. Precisava dormir para se recuperar das fortes emoções dos últimos dias. Assim que ela se foi, Hossi endureceu a voz:

— Temos muito que conversar.

Contou-me o que acontecera na visita à cadeia. Eu contei-lhe da conversa com a minha filha. Ele estava furioso com o sobrinho. Tentei acalmá-lo. Sabino tinha razão, disse-lhe. A greve de fome era uma medida extrema, mas certamente mais sensata do que tentar assaltar a cadeia a tiro. Hossi deu um soco na mesa derrubando as garrafas. Recuei a cadeira, enquanto a cerveja deslizava e pingava no chão. Os outros hóspedes suspenderam as conversas. Adriano, o empregado mudo, de óculos escuros, veio a correr com um paninho úmido e limpou a mesa. Olhou-me de caxexe, com desconfiança, ao mesmo tempo que recolhia as garrafas e se retirava. Hossi nem reparou nele:

— Porra, Daniel! De que lado estás?

— Calma! Estou do teu lado, mas não posso deixar de concordar com o Sabino...

— Quem disse que será necessário fazer tiros?

— Como assim, qual é o teu plano?

— Falei com alguns maninhos. Pessoas de absoluta confiança...

— Aposto que um deles é o Adriano!

— Ganhaste a aposta. Atravessamos juntos o inferno. Ele daria a vida por mim.

— Espero que não seja necessário.

— Não será. O meu plano é muito simples. Os planos mais simples são sempre os melhores. Chegamos às quatro da manhã à prisão das meninas com duas ambulâncias. Depois vamos buscar os rapazes. Tu vais fardado de capitão, com dois soldados, e eu, de enfermeiro. Levamos um documento que autoriza a transferência dos revus para a prisão-hospital de São Paulo. Ninguém ficará surpreendido porque já foi noticiado que eles serão transferidos para lá.

— E onde arranjas tu as ambulâncias?

— Um dos manos de que te falei trabalha no hospital militar...

— Caramba! Vocês estão em todo o lado.

— Estamos mesmo.

— Não contes comigo.

— Por que não?

— Não vou fazer nada ilegal.

— Ilegal?!

— Isso que propões é certamente ilegal.

— Então preferes ficar à espera de que a tua filha, o meu sobrinho e os outros miúdos morram de fome?

— Não, claro que não! Temos de começar a organizar um movimento de solidariedade.

— Um movimento de solidariedade?! Tu? Tu, que nunca organizaste nada, que viveste a vida inteira de joelhos...

— Eu não vivi a vida inteira de joelhos!

— Não?!

— Não.

— A mim parece-me que sim. A mim e não só — disse isso enquanto se levantava. Estendeu-me a mão. — Desejo-te sorte! Toda a sorte do mundo, vais precisar dela.

Aquela foi a última vez que falei com ele. Ao menos de uma maneira convencional, frente a frente, não através de sonhos.

28.

«Meu querido,

Envio junto um arquivo de vídeo com um dos teus sonhos. Um filme do teu sonho. Espero que não te assustes muito, apenas um pouco, pois, como te disse um dia (creio que no quintal da minha casa, enquanto o céu escurecia e os teus olhos se enchiam de luz), a arte deve inquietar, deve assustar e, ao menos para mim, esses vídeos são também parte de uma grande intervenção artística.

Venho pensando em ti.

Lamento que tenhas passado tão pouco tempo comigo, mas compreendo as tuas razões. Rezo para que a situação com a tua filha se resolva em breve.

A verdade é que sinto saudades tuas.

Beijo,
Moira»

29.

Hossi deu-me as costas e afastou-se. Voltei a sentar-me, controlando a vontade de correr atrás dele e derrubá-lo com um forte murro no queixo. Nunca faria isso, é evidente. Desde a escola primária que não bato em ninguém. Não sei lutar. Abomino todas as formas de violência. Tenho punhos frágeis e um coração de sumaúma.

Reparei que um sujeito me observava, sentado a uma mesa distante. Era o polícia de quem o hoteleiro parecia ter medo. O tal 20Matar. Ergui o copo, num brinde trocista. O homem sorriu, repetindo o meu gesto. Piscou-me. Depois levantou-se e desapareceu. Mandei vir outra cerveja. Parecia-me uma boa noite para me embebedar, o que já não acontecia havia longos anos. Então, o meu telefone anunciou a entrada de uma nova mensagem – Moira! – e o meu humor mudou. Ela tinha saudades minhas. Abri um dos arquivos de vídeo. Vi-o três vezes, uma após a outra, primeiro com surpresa, depois com susto e, finalmente, com uma mistura de horror e de vergonha.

Paguei e fui para o meu quarto. Sentei-me na cama. Voltei a ver o vídeo. Era um filme de animação. Reconhecia-se facilmente o traço de Moira. Uma mulher nua, com um turbante colorido na cabeça, desenrolava-se, como um novelo, enquanto de dentro dela saltava uma outra figura idêntica. Tudo nas duas mulheres lembrava a artista: os rostos angulosos, com pequenas rugas nas comissuras dos lábios, os corpos esguios, os turbantes coloridos. Moira fizera de propósito. Desenhara as gêmeas assim, idênticas a ela, para troçar de mim. Imaginei-a vendo o vídeo com Hélio, rindo alto com ele, os dois trocando piscadelas e comentários torpes.

Na verdade, estava furioso porque realmente sonhara com aquilo. Dissera-lhes que sonhara com duas gêmeas contorcionistas jamaicanas. Nenhum deles me perguntou como eu sabia que as mulheres eram jamaicanas. Nenhum deles me perguntou nada acerca do formato do rosto delas, se eram bonitas ou feias nem com quem se pareciam. Sonhei com duas mulheres gêmeas e no meu sonho eu sabia que elas eram jamaicanas, mas não conseguiria explicar o porquê. Não lhes disse – nunca lhes diria – que era Moira, desdobrada em duas, com a prodigiosa cabeleira coberta por um turbante colorido.

Respondi à mensagem de Moira com uma simples pergunta: "Como sabias?".

Esperei quinze minutos até vir a resposta: "Não sabia, amor. Não podia saber. Soube através da máquina. A máquina funciona".

Estendi-me na cama. Sentia-me exausto. Bebera demais. Adormeci vestido e calçado. Acordei de repente, na escuridão mais profunda, com o bruto estrondo de um tiro. Logo a seguir aconteceu um segundo disparo, que ficou vibrando no silêncio eterno, brevíssimo, e então uma mulher rompeu a gritar. Ouvi vozes de homens bradando ordens, e logo um rápido tropel de botas. Acendi o candeeiro da mesa de cabeceira e levantei-me. Doía-me a cabeça. Agarrei o telefone e saí do meu bangalô. A lua erguia-se a prumo, enorme e redonda, iluminando o areal até ao imenso negrume do mar. Levei alguns segundos a perceber que os gritos vinham do bangalô de Hossi e corri para lá. Havia dois corpos estendidos no chão. Um deles era o de Adriano, o empregado mudo. Estava caído de costas, uma massa sólida, abandonada, com o rosto voltado para a lua, os olhos muito abertos e, no entanto, fechados para toda a luz. Na camisa branca alastrava uma grossa mancha escura. O outro era o de Hossi. Ava segurava a cabeça dele. Beijava-o, desesperada, gritando palavrões em espanhol. Um homem elegante, seco, dos seus quarenta anos, ajoelhou-se na areia, tentando acalmá-la. Não sei o que lhe disse. A mulher calou-se. Por essa altura já havia cinco ou seis pessoas cercando a cena. O homem voltou-se para nós:

— Sou médico. Temos de levá-lo para Luanda. Alguém tem um carro e pode conduzir?

Dei um passo em frente:

— Vamos!

O médico deu instruções a dois dos empregados de Hossi que haviam ocorrido, assustados e, enquanto eu ia buscar o meu carro, desinfetou o ferimento e tentou estancar a hemorragia. Colocamos Hossi no banco de trás. Uma mulher alta, muito bonita, vestida com uma camiseta branca e umas calças de ganga, sandálias havaianas, aproximou-se do médico e abraçou-o. Trocaram algumas palavras em voz baixa. Ela tentava convencê-lo de que seria melhor acompanhar-nos. Por fim, empurrou o marido para dentro do carro, deu a volta e sentou-se no lugar do morto:

— Entre! — ordenou-me. — Conduza!

Obedeci. Em poucos minutos estávamos na estrada, em direção a Luanda. O asfalto brilhava à luz do luar. Aqui e ali a negra silhueta de um embondeiro destacava-se contra o céu estrelado, como num anúncio publicitário de uma marca qualquer de cerveja africana. Pensei em ligar o rádio, mas desisti. Se eu ligasse o rádio e o Anselmo Ralph estivesse a cantar, então, sim, iria sentir-me completamente dentro de um filme publicitário. Não era o momento.

— Chamo-me Melquesideque — disse o homem. — Sou médico na clínica da Muxima. Sabe onde fica?

— Sei. Ele aguenta-se?

— Julgo que a bala perfurou o pulmão direito. Está a perder muito sangue. Vá o mais rápido possível.

Enquanto o carro atravessava a noite, a mulher apresentou-se. Disse que se chamava Tukaiana e tinha uma loja de móveis em Talatona. Ela e o marido costumam passar os fins de semana em Cabo Ledo, no Arco-Íris.

— É um lugar simples, sem pretensões, e nós gostamos de lugares simples — disse Melquesideque.

Tukaiana voltou-se para mim:

— Afinal, o que aconteceu?

— Não sei.

— Ladrões?

— Em Cabo Ledo? Duvido...

— Quem haveria de querer matar o Hossi?

— Ele tem muitos inimigos...

— O Hossi?! — estranhou Melquesideque. — O velho Hossi tem inimigos?

— Não acredito — disse Tukaiana. — O velho é um pouco rude, por vezes grita ou disparata, mas ajuda toda a gente. Os empregados gostam dele. Os pescadores, ainda mais. Você conhece a escola para os filhos dos pescadores? O Hossi pagou a construção do edifício com o pouco lucro que consegue com o hotel...

— O Hossi pertenceu aos serviços secretos da Unita — expliquei. — Fez coisas horríveis durante a guerra.

— O meu pai também foi polícia, não do lado da Unita, mas do nosso lado, quero dizer, do lado do governo — disse a mulher. — E também ele cometeu muitos crimes...

— Por exemplo, matou os meus pais — interrompeu Melquesideque, sem que se lhe notasse na voz sombra de mágoa ou de rancor. — Eu já lhe perdoei.

— Foi sempre um bom pai — prosseguiu Tukaiana. — Não gosto do que ele fez. Odeio o que ele fez. E no entanto não consigo impedir-me de o amar. Estive anos sem falar com ele. Não o queria ver. Era muito infeliz. Então o meu marido mostrou-me o caminho. O único caminho é o perdão.

— E ele, o seu pai? Como consegue conviver com o passado?

— Durante anos bebeu muito. Achamos que fosse morrer de cirrose. Mas então, de um dia para o outro, abandonou o álcool. Agora parece outra pessoa.

— O que aconteceu?

— Não sei.

— O meu sogro era um crente, tinha grandes ideais. Acreditava sinceramente na revolução socialista e que para salvar a revolução alguém tinha de sujar as mãos. Eles usavam muito esse eufemismo: sujar as mãos...

— O teu sogro é um bandido!

Espreitei pelo retrovisor. Hossi tinha aberto os olhos. Tossia. Sempre que tossia o sangue saltava. Pensei no trabalho que iria ter, no dia seguinte, para lavar todo aquele sangue. Senti vergonha por pensar isso. Melquesideque afligiu-se:

— Calma, mais-velho. Não fale. Tente não se mexer.

Hossi soltou um longo gemido e sossegou.

— Quem te fez isso? — perguntei-lhe. — Viste a cara do atirador?

— Não é altura para interrogatórios — censurou Melquesideque. — Preciso que ele se acalme.

Hossi tossiu:

— Um grande bandido, o teu sogro. Um bandido ainda pior do que eu. Espero que os crocodilos o comam. Ah, os crocodilos! Eram tantos! O rio estava cheio deles.

— O velho delira — murmurou Tukaiana. — Não me parece mesmo nada bem.

Hossi calou-se. Suponho que voltou a perder os sentidos. Durante uma boa meia hora também nenhum de nós falou. Finalmente, Tukaiana disse, num suspiro triste:

— Ele tem razão. É um bandido, sim. É um bandido e um bom pai.

30.

Com o passar dos dias, a greve de fome dos sete ativistas foi ganhando uma dimensão que o regime não previra. Jornais de várias partes do mundo procuravam acompanhar o estado de saúde dos presos. Em Lisboa, um grupo de angolanos e portugueses juntou-se diante do consulado de Angola, numa vigília pacífica, que começou às oito da noite e só terminou de madrugada. Os manifestantes transportavam velas. Alguns traziam máscaras com o rosto dos presos. Na Cidade da Praia, no Rio de Janeiro, em Maputo, Londres, Paris e Berlim sucederam-se iniciativas semelhantes. A repercussão internacional deu um renovado alento ao movimento democrático. Vinte e cinco nomes conhecidos, entre escritores, músicos, artistas plásticos, atores e agitadores culturais, colocaram um vídeo nas redes sociais exigindo a libertação dos sete magníficos. Em redor desse núcleo inicial foi crescendo uma onda de solidariedade. Havia jovens da periferia, e outros de famílias burguesas e poderosas, ligadas ao partido no poder. Uns eram taxistas, eletricistas, sindicalistas, pequenos comerciantes, outros, ativistas de direitos humanos, jornalistas, professores universitários.

  Armando Carlos distinguia-se, no grupo fundador, por ser um dos mais velhos. Uma tarde apareceu de surpresa em minha casa. Era um sábado. Arrastou-me para um palacete arruinado, na cidade baixa, que abriga, há décadas, diversos grupos de teatro e de capoeira, oficinas de artistas plásticos e um animado bar, num terraço esplêndido, chamado Nomenklatura.

A companhia de Armando, os Mukishi, ocupa uma das salas. Julguei que fôssemos assistir a uma nova peça do grupo. O espaço estava cheio. Reparei que a maior parte das pessoas vestia branco. Muitas usavam camisetas com o rosto de algum dos sete jovens ativistas presos e a frase "Liberdade para Angola!".

Desconhecidos vinham abraçar-me:

— Coragem, mais-velho! Vamos tirar a sua filha da cadeia!

— A Karinguiri é uma inspiração para todos nós.

— Imagino que o senhor esteja sofrendo muito. Saiba que estamos sofrendo consigo.

Dona Filó, a mãe de Lila Monteiro, também lá estava, num grupo grande. Vestia uma camiseta com o rosto da filha. Afastou-se dos amigos para me cumprimentar. Apertou-me vigorosamente contra o vasto peito.

— Ainda bem que veio! A sua presença é muito importante aqui. Como está o seu amigo?

— O Hossi?

— Sim, o tio do Sabino.

— Continua em coma.

— Sabe-se mais alguma coisa?

— Não.

— Nunca se irá saber — disse Armando Carlos. — Aquilo foi uma operação montada pela segurança de Estado.

Irritei-me:

— O que estás a dizer?!

— Tu mesmo me contaste que nessa noite, poucas horas antes do atentado, viste um polícia que andava a vigiar o Hossi.

Arrastei-o por um braço até a casa de banho:

— Mano, tu estás maluco?!

— Como assim?

— Então tu dizes às pessoas que eu sei quem disparou contra o Hossi?!

— Digo a toda a gente, sim. Digo-lhes que viste um preto magrinho, com o cabelo cortado rente, um tal de 20Matar...

— Queres que eu morra?

— Eles não te matam, não a ti.

A porta da casa de banho abriu-se e – radioso como uma aparição! – entrou 20Matar. Trazia vestida uma camisa de seda, com imagens de orquídeas, em cores muito vivas, de forma que parecia um turista passeando em Copacabana. Não pareceu surpreso por me ver. Sorriu:

— Andava à sua procura.

Voltei-me para Armando:

— Falando no diabo...

O meu amigo olhou 20Matar de alto a baixo, com um sorriso cruel:

— É isto? Essa coisa colorida é um assassino?!

O polícia recuou. Abriu a porta, como se fosse sair, mas não saiu. Ficou ali, um pé fora, outro dentro, os olhos inquietos saltando de mim para Armando:

— Quem é o senhor?

— Vá lá, camarada. Sabes muito bem quem sou eu. Deves ter estudado a minha ficha. Reconheço que tens coragem, para te enfiares assim na boca do lobo — soltou uma gargalhada escura. — Adivinha quem é o lobo hoje?

20Matar suspirou:

— Não fui eu quem atacou o senhor Kaley.

— Não?!

— Não. Não fomos nós. Por que faríamos uma burrice dessas logo agora, com os jornalistas todos a olhar para Angola?

— Porque vocês são burros!

— Cuidado, senhor Armando! Não lhe conheço. Nunca lhe faltei com o respeito...

Armando deu um salto, agarrou 20Matar pela gola da camisa e atirou-o contra os urinóis. O homem levou as delicadas mãos à camisa, que se rasgara de alto a baixo, ao mesmo tempo que nos lançava um olhar de genuína consternação:

— Uma camisa tão cara, senhor Armando. Uma camisa tão cara...

Coloquei-me diante de Armando:

— Calma! Calma!

O meu amigo afastou-me. Bateu com a mão aberta no peito de 20Matar. O homenzinho ficou sentado num dos urinóis. Nesse momento entraram três jovens. Reconheci um deles: Flávio da Cunha, antigo jogador profissional de basquete, um dos sócios do Nomenklatura.

— O que se passa aqui? — perguntou Flávio.

— É o muadié que disparou contra o Hossi — disse Armando.

— Afinal...?

— Este mesmo.

Arrastaram-no para o bar aos empurrões. No palco, um jovem rastafári estava esticado diante de um microfone, ainda mais esticado do que o próprio microfone, enquanto declamava em largos gestos, em altos brados, numa voz grave e redonda, versos de Pablo Neruda: "Se cada dia cai,/ dentro de cada noite,/ há um poço/ onde a claridade está presa./ Há que sentar-se na beira/ do poço, da sombra/ e pescar a luz caída/ com paciência".

Flávio disse alguma coisa ao ouvido do rastafári. O rapaz fez uma pequena vênia e afastou-se, cedendo o lugar junto ao microfone. O antigo jogador de basquete ajustou o aparelho para a sua altura:

— Boa tarde, amigos, companheiros. Tenho uma surpresa para vocês.

Armando e os outros jovens forçaram 20Matar a subir ao palco. O assassino parecia mais envergonhado do que aterrorizado, como um noivo tímido, num casamento, obrigado a fazer um discurso.

— Como te chamas?

— Rui. Rui Mestre.

— Muito bem, camarada Rui. E o que fazes tu na vida?

— Sou funcionário...

— Fala mais alto!

— Sou funcionário do Ministério da Informação e Segurança...

A sala inteira explodiu em violentas vaias. Flávio ergueu as mãos, a pedir silêncio. O público demorou a sossegar.

— E diz-me lá, camarada Rui, o que fizeste ao senhor Kaley?

Renovadas vaias, pateadas. Gritos de "assassino! Assassino!". 20Matar endireitou-se. Lançou um olhar aflito pela sala, como se procurasse auxílio. A seguir tossiu, aclarando a voz, com uma expressão solene no rosto magro. Tentou compor a camisa rasgada. Endireitou-se, estufou o peito, como um chefe de Estado dirigindo-se à nação:

— Proclamo solenemente, perante África e o mundo, a minha grandíssima inocência. Juro, pelo sagrado sangue de Cristo, que não fiz tiros no senhor Kaley. Não mato pessoas. Nunca o fiz, não o faço nem farei.

Cinco polícias, dois deles segurando bastões, os outros três metralhadoras ligeiras, abriram caminho através do público. Subiram ao palco esforçando-se por ignorar o tumulto hostil. Voltaram a descer, quase correndo, protegendo entre eles o corpo frágil de 20Matar. O homem passou por mim e sorriu. Disse qualquer coisa que se perdeu, abafada pelos gritos da turba. Uma senhora, ao meu lado, ria-se às gargalhadas, apontando as calças molhadas do agente:

— Vejam! O maricas mijou-se todo!

O resto da noite transcorreu sem sobressaltos. Os meus irmãos, Samuel e Júlio, apareceram na companhia das respectivas esposas. Júlio trouxe também as duas filhas mais velhas, uma das quais, Ginga, tem a idade de Karinguiri. Foram sempre muito próximas. Abraçamo-nos uns aos outros. Havia anos que não nos abraçávamos. Vi também, ou julguei ver, Melquesideque e a esposa. Muita gente discursou, lembrando os jovens presos, elogiando a sua coragem e determinação. O rastafári de voz grave e grandes gestos voltou a declamar Neruda, depois Fernando Pessoa, Viriato da Cruz e Agostinho Neto. Três cantores muito conhecidos, que nunca antes haviam atuado juntos, subiram ao palco para interpretar antigas canções angolanas dos anos 1950 e 1960. Nascia o sol quando Armando tomou o microfone para anunciar o fim da vigília, ler mensagens de apoio que haviam chegado de vários países e divulgar as próximas ações. Lembrei-me do papel que Karinguiri me entregara na visita à cadeia, levantei-me e dei dois passos na direção do palco:

— Posso ler uma mensagem da minha filha?

Armando olhou-me espantado. As pessoas aplaudiram enquanto eu subia ao estrado. Desdobrei o papel e li.

31.

《Querido pai,

Dói-me muito que tu e a mamã sofram por mim. Gostaria que houvesse outra maneira de fazer o que acho justo, sem inquietar aqueles que amo. Como não fui capaz de imaginar alternativas espero, pelo menos, levar-te a perceber como chegamos até aqui. Tenho a certeza de que se compreenderes me apoiarás. Apoiar-me não é tentar que eu desista desta greve de fome nem pretender que eu fique a seguir de boca fechada, ou dizendo que sim a tudo o que o meu coração renega. Estarás a apoiar-me quando conseguires dar-me a mão, mesmo discordando; estarás a apoiar-me sempre que mostrares orgulho em mim, porque estou a fazer o que entendo ser certo.

Quando tu e a mamã se separaram, partiram-me ao meio. Cresci dividida entre ti e ela. Sofrendo com cada discussão entre vocês. Escondendo de um o amor que sentia pelo outro.

Cresci dividida também entre mundos diferentes. Pior do que isso, cresci estrangeira ao meu próprio país. Primeiro, achei que Angola era o nome que se dava à rede de condomínios onde vivem a mamã, os tios, os avós e todos os amigos deles. Achei que Angola fosse essa larga rede de condomínios, separados uns dos outros por terrenos baldios – a África. Acreditava que também os nossos empregados viviam em condomínios, com nomes como Rocha Pinto, Cazenga, Golfe ou Catambor. Um dia perguntei à Teresa (a minha babá, espero que te lembres dela) se no condomínio onde ela morava a piscina era maior do que a nossa. A Teresa disse-me que lá, onde mora, eles chamam às piscinas poças de água e que cada pessoa tem a sua. Na altura, não compreendi a ironia.

Mais tarde achei que Angola fosse constituída na sua maioria por artistas boêmios que se reuniam aos sábados nos apartamentos uns dos outros, a beber cerveja, a fumar liamba, a discutir projetos que nunca realizarão. Quase todos mostravam desprezo pelo dinheiro e troçavam dos condomínios de luxo onde vivem a minha mãe e a família dela. Hoje sei que desprezam o dinheiro porque têm o suficiente para não pensar nele. Os pobres não desprezam o dinheiro.

Só conheci a Angola dos pobres – não vou dizer a verdadeira Angola, mas a Angola que representa a esmagadora maioria dos angolanos – há poucos anos. Por estranho que possa parecer, reconheci-me nela. Vim parar a esta cadeia porque decidi ser angolana. Estou a lutar pela minha cidadania.

O medo destrói as pessoas. Corrompe mais do que o dinheiro. Vi isso acontecer no Condomínio Angola, da mamã. Vi isso acontecer na tua República dos Artistas. Vejo isso acontecer também na Angola onde vivem quase todos os angolanos.

O medo não é uma escolha. Não há como evitar sentir medo. Contudo, podemos escolher não nos rendermos a ele. Eu e os meus companheiros escolhemos lutar contra o medo.

Chamam-nos revolucionários – revus! –, como se isso fosse um insulto. Ao contrário do que nos acusam nunca foi nossa intenção derrubar o presidente. Não estou a dizer que não gostaríamos de derrubar o presidente. Sim, gostaríamos que o presidente saísse. Gostaríamos que Angola fosse um país livre, justo e democrático. Acontece que somos apenas meia dúzia de jovens – meia dúzia e mais um, para ser precisa – e não temos condições para derrubar o presidente. Não temos nem condições para derrubar o presidente do Futebol Clube dos Coqueiros.

Descobrimos, porém, que é possível combater o medo. Se nós, que não representamos ninguém, que não temos força nenhuma, podemos enfrentar o presidente e todo o seu aparelho de repressão – então qualquer um pode.

Ao ordenar a nossa prisão, acusando-nos de tentativa de golpe de Estado, o regime mostrou que tem medo de nós. Tem medo de sete jovens sem força para derrubar sequer o presidente do Futebol Clube dos Coqueiros.

Como é que vocês podem ter medo de um regime que estremece quando sete jovens sem poder algum lhe levantam a voz?

Pensa nisso, papá.

Beijo muito grande da tua menina,
Karinguiri »

32.

No domingo, após a vigília, acordei cansado e com dores nas articulações. Não obstante sentia-me forte, animado por um vigor que não experimentava havia vários anos. Passavam das onze horas. Dei de comer a Baltazar, e depois preparei uma tosta de queijo e atum. Liguei a televisão e sentei-me no sofá, a comer. Vi surgir no ecrã a imagem de um homem com um olho muito inchado. O olho intacto girava aflito, de um lado para o outro, enquanto, diante dele, um polícia falava para a câmara: "Este elemento foi preso na sua residência, após vários dias de intensa investigação policial. Não demorou a confessar o crime. Conta lá o que fizeste, Ezequiel...".

Só nesse momento reconheci Ezequiel Ombembua, ou Jamal Adónis Purofilim. Tive pena dele. O homem gaguejava:

"Fui eu mesmo. Feri a tiro o senhor Hossi Kaley e depois matei o guarda-costas dele, o senhor..."

"Adriano Patrício", soprou o polícia.

"Exatamente. Matei esse Adriano com um tiro..."

"Com um tiro no peito", completou o outro.

Desliguei a televisão e fui tomar uma ducha.

Era meio-dia quando recebi uma chamada de dona Filó. Disse-me que a filha sofrera, manhã cedo, uma parada cardiorrespiratória. Fora imediatamente assistida e, segundo um dos médicos da prisão, estava muito enfraquecida, mas estável.

— Estou a caminho da prisão. Vem comigo?

Disse-lhe que sim. Dez minutos mais tarde um velho Citroën boca de sapo, modelo que eu não via havia longos anos, estacionou diante do meu prédio. Desci. Dona Filó tinha os imensos peitos pousados sobre o volante. Não parecia muito confortável. Suava, entalada contra o couro do assento. A despeito do desconforto, do calor e do estado da filha, recebeu-me com um grande sorriso:

— Entre! Não tenha medo.

Entrei. Dona Filó corria sobre o asfalto, fintando os outros veículos, os peões, os buracos, com gestos precisos e uma absoluta confiança. A aflição com que falava comigo, repetindo o que o médico lhe dissera e contando-me episódios da vida da filha, não se refletia na forma como segurava o volante. A mulher que falava comigo eu já conhecia; a que segurava o volante, numa euforia tranquila, essa era uma surpresa.

— A senhora parece o Fittipaldi.

Riu-se:

— Aprendi a conduzir com o meu padrinho. O meu padrinho foi uma lenda do nosso automobilismo. Você é do Huambo, deve lembrar-se das Seis Horas de Nova Lisboa...

Eu lembrava. Vinham pessoas de todo o país, até mesmo de Moçambique e da África do Sul, para assistir às corridas. Erguiam-se arquibancadas ao longo das principais ruas da cidade. O rugido dos motores enlouquecia os pássaros e os cães. O ar cheirava a combustível queimado. Eu gostava do cheiro.

— O meu padrinho ficou uma vez em terceiro lugar, nas Seis Horas de Nova Lisboa. E chegou a ganhar outras provas importantes, em Moçâmedes e também aqui em Luanda — prosseguiu dona Filó. — Este carro era dele. Trato-o com muito carinho.

Disse-me o nome do padrinho. Pareceu surpresa por eu não o reconhecer. Nunca tive o menor interesse por nenhum desporto, muito menos por corridas de carros. Chegamos à prisão de São Paulo mais rapidamente do que eu havia previsto. Um guarda impediu-nos o acesso.

— Não é hora de visita.

Dona Filó ligou ao médico que a informara do estado da filha. Este veio cá fora falar conosco. Encostou-se ao alto muro, de espinha curvada, olhando o chão. Tirou um cigarro do bolso da camisa, acendeu-o e colocou-o nos lábios. Fumou em silêncio durante um interminável minuto. Não podia fazer nada, lamentou-se, sem nunca levantar os olhos. Pediu, por favor, que não voltássemos a ligar para o seu telemóvel. Telefonaria assim que lhe fosse possível. Lila estava bem. Na opinião dele, contudo, não poderia continuar com a greve de fome. Pensavam alimentá-la à força nas próximas horas.

— Isso não pode ser — insurgiu-se dona Filó. — A minha filha deixou um documento assinado, no qual rejeita ser alimentada à força, ainda que perca a consciência.

— Se ela insistir, vai morrer. A senhora quer isso?

— Não seja estúpido! Cabe à minha filha decidir se pretende ou não voltar a alimentar-se. Deixe-me entrar. Deixe-me falar com ela.

— Sinto muito. Não pode ser.

— Muito bem. Vamos protestar.

Voltou-se para mim:

— Venha. Tenho material no carro.

Abriu o porta-bagagem do boca de sapo e tirou lá de dentro duas grandes folhas de papel. Pousou uma delas na capota do carro e escreveu a marcador preto, em letras grossas: "Liberdade para os presos políticos!".

Entregou-me a folha:

— Segure esta. Vou fazer outra para mim.

A outra dizia: "Soltem os nossos filhos!".

— E agora? — perguntei, assustado. — O que você quer fazer com isto?

— Agora vamos ali para a estrada, para que toda a gente nos veja.

— Vão prender-nos.

— Então que prendam.

Segui-a. Assim que ergui o cartaz voltei a experimentar o mesmo vigor e a mesma alegria que sentira ao acordar. Os automobilistas abrandavam para ler os cartazes e aceleravam de novo. Um deles levantou o polegar para cima, sorrindo para nós. Fazia um vento fresco. Para oriente, o céu escurecera. A luz do sol batia de frente contra uma negra parede de nuvens. Não demorou muito, dez ou quinze minutos, para que cinco polícias se aproximassem. Um deles, o mais alto, adiantou-se aos restantes. Dirigiu-se a mim, com um solene aceno de cabeça:

— O cidadão desculpe-me. O chefe mandou perguntar o que os senhores estão a fazer...

Dona Filó riu-se. Ao longe, um relâmpago atravessou o céu. O ribombar distante era como um eco da gargalhada dela:

— Diga ao seu chefe que estamos a protestar. Estaremos aqui, em protesto permanente, até que nos deixem ver as nossas filhas.

— O chefe não vai gostar, mamã.

— Somos cidadãos livres, conscientes dos nossos direitos. Os nossos filhos foram presos sob uma acusação absurda. O período de prisão preventiva foi ultrapassado e nem assim os soltaram. Estão ilegalmente detidos e, por isso, decidiram entrar em greve de fome. A minha filha quase morreu essa manhã...

— Lamento muito. Não sei nada de política.

— Não se trata de política, trata-se de direitos humanos. O senhor é polícia. O seu dever é proteger os nossos direitos. Nós temos o direito de protestar.

— Eu só cumpro ordens...

Um dos outros polícias adiantou-se:

— Por favor, se continuarem aqui nós todos vamos ter problemas.

— Vamos continuar — disse eu. — Vamos continuar até que nos deixem entrar e falar com as nossas filhas.

— Não complica, paizinho — suplicou o primeiro polícia. — Os senhores podiam voltar na hora da visita. Entretanto davam uma volta, bebiam uma gasosa, depois entravam com os outros visitantes. Seria melhor para todos.

— A minha filha quase morreu — insistiu dona Filó. — Sofreu uma parada cardiorrespiratória. Quero vê-la agora. Quero falar com ela.

O polícia abanou a cabeça:

— A senhora é teimosa. Vamos comunicar ao chefe.

Continuamos ali, segurando os papéis. Vimos a chuva avançar num rápido tropel, à medida que a luz recuava. A água caiu sobre nós, como um rio vertical, arrancando-nos das mãos as palavras de protesto. Permanecemos imóveis, encharcados, com as roupas coladas ao corpo, os cabelos escorrendo sobre o rosto, enquanto os carros passavam, indiferentes, e o temporal se perdia ao longe, tão depressa como havia chegado.

33.

Encontrei Ava adormecida, sentada numa cadeira, ao lado da cama em que Hossi lutava contra a morte, ou se deixava embalar por ela, não sei bem. O hoteleiro entrou na clínica da Muxima já em coma e permanecia desde então ligado a aparelhos. Melquesideque, que me recebeu à entrada, não procurou esconder a gravidade da situação:

— Reze — disse-me. — Ainda que não seja crente, reze pelo nosso amigo.

Prometi-lhe que rezaria, embora sem saber como, pois falta-me a prática e a convicção. Perguntei-lhe se poderia contribuir para pagar as despesas da clínica. O médico sorriu. Disse-me para não me preocupar, pois o doutor Tolentino de Castro insistira em arcar com todos os custos. Conduziu-me ao quarto e deixou-me lá. Fiquei sentado do lado oposto a Ava. A mulher dormia, muito direita, sustentada na ampla arquitetura do próprio torso. Despertou de repente, estremunhada, como se uma mão fantasma a tivesse sacudido. Olhou-me sem surpresa:

— O Hossi quer falar com o senhor.

— Como assim, ele acordou? Falou?

— Sonhei com ele. Sonhei com ele, como acontecia antigamente, em Havana.

— Não pode ser.
— Há muita coisa que não pode ser. Em todo o caso, sonhei com o Hossi. Disse-me que você tem de encontrar o diário dele.
Eu sabia que Hossi escrevia um diário. Uma tarde conversamos sobre isso. Achei curioso que ambos escrevêssemos diários. Não é algo muito frequente. O hoteleiro discordou: disse-me que talvez não fosse um hábito em Luanda, até porque os luandenses são mandriões e desorganizados, mas que no tempo da guerrilha muita gente escrevia diários. Savimbi tinha um diário. O chefe dos guerrilheiros incentivava os seus comandantes a fazer o mesmo. Escrever um diário – segundo Savimbi – era um bom exercício de disciplina. Hossi disse-me que no momento em que foi morto, nas matas do Lucusse, no Moxico, Savimbi transportava consigo vários volumes com o seu diário pessoal, além de uma série de notas destinadas a uma autobiografia. Muitos dirigentes da Unita têm publicado biografias. Assim, quando Ava me falou no diário, estremeci:
— O diário do Hossi?!
— Sim. O Hossi tem receio de que a polícia encontre os cadernos.
— Ele não disse quem foi o atirador?
— Não. Isso não disse.
— A senhora tem dormido aqui, à noite?
— Não. Às dezoito horas obrigam-me a sair. A Rosa vem buscar-me. A minha amiga Rosa, aquela que conheci no avião. Tenho passado as noites na casa dela. Não durmo. Não consigo dormir. Chego aqui depois do almoço e caio no sono. Sonho com ele. Volto a estar com ele.
Fui procurar Melquesideque:
— Preciso dormir na clínica, no quarto do Hossi, ou num quarto próximo.

O médico riu-se – um riso sem luz:

— O senhor está doente?

— Posso ficar doente, sim, a qualquer momento. Que tipo de doença eu poderia ter que justificasse a minha internação durante uma noite?

Melquesideque suspirou:

— Não lhe vou perguntar nada. Vou confiar em você, mesmo correndo o risco de perder o meu emprego. Vou confiar porque você é o pai da Karinguiri. Eu estive lá, na vigília, fiquei muito comovido com a carta que o senhor leu.

Nessa noite dormi na clínica da Muxima, num quarto ao lado daquele em que jazia Hossi. Custou-me mais caro do que uma noite num hotel cinco estrelas em Londres, Paris ou Nova York, embora não tão caro quanto uma noite num hotel quatro estrelas em Luanda. Uma enfermeira apareceu, já eu apagara a luz, para me medir a temperatura. Consultou o termômetro, espreitou a minha ficha clínica e saiu do quarto rindo mansamente:

— Esse doutor Melquesideque...!

Melquesideque acordou-me às oito da manhã. Abriu as cortinas e o sol entrou, às golfadas, queimando-me os olhos.

— Conseguiu o queria? — perguntou-me.

Sentei-me na cama, esforçando-me por reorganizar o pensamento:

— Consegui.

— Então está curado. Posso dar-lhe alta?

— Sim, agradeço-lhe muito.

Vesti-me e saí. Entrei no meu carro, verifiquei o combustível (o tanque estava quase cheio) e conduzi até Cabo Ledo. Não conseguia pensar em mais nada a não ser no sonho, que parecia ter-se prolongado pela noite inteira, repetindo-se com pequenas variações, como uma paisagem que se olha através das lentes de um caleidoscópio.

O Arco-Íris estava fechado. Não se via ninguém. Fui até a praia, retornei e sentei-me no restaurante a contemplar o oceano. Finalmente, tendo a certeza de que ninguém me observava, levantei-me e dirigi-me ao bangalô amarelo. À entrada, do lado direito, havia uma escultura em pau-ferro, representando uma sereia em tamanho natural, sentada numa rocha. A rocha era autêntica, uma pedra escura, que o mar trabalhara, rendilhando, adoçando arestas, durante milhares e milhares de anos. Agachei-me e procurei na parte de trás, tateando, entre a rocha e a parede do bangalô. Lá estava – uma chave.

Levantei-me e abri a porta. Havia vários dossiês espalhados pelo chão. Outros estavam abertos, sobre a cama, num caos absoluto. Atravessei o quarto e entrei na pequena casa de banho. No armário, sob o lavatório, encontrei uma caixa de sapatos. Não precisei abrir a caixa para saber que os diários de Hossi ainda lá estavam. Agarrei a caixa, saí do bangalô, voltei a fechar a porta, guardei a chave no bolso das calças e caminhei rapidamente até ao carro.

Um homem emergiu da sombra da mangueira, cortando-me o caminho. Deixei cair a caixa, assombrado: era Hossi!

34.

« Querida Moira,

Tenho vivido dias difíceis e intensos. A minha filha continua em greve de fome. Uma outra menina, presa com ela, quase morreu, há três dias, devido a uma parada cardíaca. Essa, entretanto, voltou a comer. A boa notícia é que o movimento de solidariedade para com os presos políticos vem crescendo muito, dentro e fora do país. Todos os dias recebo dezenas de telefonemas e mensagens eletrônicas, ora de pessoas conhecidas, ora de completos desconhecidos, dizendo-me que se reconhecem na atitude dos jovens. Dão-me coragem – como quem oferece o coração.

Conversei contigo, há tempos, sobre um amigo, o Hossi Apolónio Kaley, proprietário de um pequeno hotel, que invadia os sonhos de outras pessoas. Hossi sofreu um atentado. Dispararam dois tiros contra ele. Está numa clínica, em Luanda, entre a vida e a morte. Um funcionário do hotel foi morto na mesma ocasião. A polícia prendeu o presumível criminoso. Um pobre diabo. Não acredito que seja o verdadeiro assassino. Desconfio, mas não tenho como provar, que a nossa polícia política está envolvida no crime. Um dos jovens presos é sobrinho do Hossi. O meu amigo estava decidido a tirá-lo da cadeia, a qualquer custo, e talvez tenha falado com quem não devia.

Desde que o Hossi foi internado, vários pacientes, na clínica, passaram a sonhar com ele. Uma das sonhadoras é a namorada, a Ava, uma mulher que o Hossi conheceu em Havana, há muitos anos. Ela apareceu em Luanda, de repente, caída do céu, pouco antes de Hossi sofrer o atentado. Perdeu-o uma vez e recusa-se a aceitar que pode perdê-lo de novo. Vai para a clínica, senta-se numa cadeira e adormece. Assim, pode sonhar com ele.

Passei uma noite num quarto ao lado daquele em que o Hossi está internado. Sonhei que estava num avião, voando sobre um oceano imenso, e que o Hossi seguia ao meu lado, vestido com um casaco roxo, cheio de emblemas e medalhas, como o porteiro de um grande hotel. As aeromoças deslizavam sobre patins, de um lado para o outro. Surpreendeu-me vê-las tão atarefadas, pois o avião estava quase vazio.

— Ainda bem que vieste — disse-me o Hossi. — Estava à tua espera.

Uma das aeromoças debruçou-se sobre nós. Eras tu, vestida com uma blusa azul-escura, saia da mesma cor. Na cabeça, um enorme turbante, com o desenho de aviõezinhos amarelos. Estendeste-nos um tabuleiro cheio de estrelas-do-mar:

— Provem uma...

Hossi agarrou-me o braço:

— Presta atenção ao que te digo.

Não era fácil, porque, enquanto o Hossi falava, tu começaste a despir-te.

— Venham! — sussurraste, abrindo a blusa e tirando o sutiã. — Temos praia na primeira classe.

— Presta atenção — insistiu o Hossi. — Concentra-te na minha voz. Tens de ir ao hotel. Assegura-te de que ninguém te vigia. Há uma chave escondida atrás da sereia. Abre a porta, entra e vai casa de banho. Os meus diários estão escondidos dentro do armário, numa caixa de sapatos. Guarda-os.

Na manhã seguinte fui até Cabo Ledo, ao hotel do Hossi, encontrei a chave, abri a porta, tirei a caixa de sapatos de dentro do armário e trouxe-a comigo para Luanda. Os diários são extraordinários. Hei de falar-te deles noutra ocasião. O que pretendo agora é que venhas ter comigo. Espero que convenças o Hélio a vir também. Gostava que ele filmasse os meus sonhos lá na clínica. Os meus sonhos e os sonhos da Ava.

Um dos melhores amigos do Hossi, um advogado português que tem custeado o tratamento dele, está disposto a pagar a vossa viagem.

Sobram-me motivos para vos pedir isso, o primeiro dos quais é a necessidade de saber quem disparou contra o meu amigo. Para Hélio poderia ser uma experiência única. Eventualmente, confirmaria a capacidade de algumas pessoas de se fazerem sonhar por outras.

Existe, é claro, a possibilidade de que eu tenha inventado tudo o que contei aqui porque preciso de ti ao meu lado. Preciso de ti, porque decidi enfrentar o medo, e sempre que me abraças eu cresço um pouco e fico mais forte. Preciso de ti para ser uma pessoa melhor.

Beijo,
Daniel》

35.

《 Meu amor,

Não sei como te ajudar neste momento senão respondendo que sim, que te irei visitar, logo que possa, e que não precisas inventar milagres para me convenceres. Estou convencida.

Vai ser mais difícil persuadir o Hélio. Ele gostaria de falar com o médico que está a cuidar do Hossi, por telefone ou Skype. Achas possível?

Nas últimas semanas progredimos muito. Estamos a usar um programa novo. Conseguimos criar curtos filmes, quase perfeitos.

Até já,
Moira 》

36.

《 Segunda-feira, 7 de novembro de 2016

Vivo instantes de felicidade sempre que estou com a Ava – e estou com ela o tempo inteiro; e momentos de aflição, sempre que penso no Sabino e nos restantes revus – e penso muito neles.

    Não fosse Ava, a minha Ava, e talvez eu, nesta altura, já estivesse morto. Percebo agora que Daniel fez bem em recusar o meu plano. Mal o vi, no primeiro dia em que ele apareceu no hotel, soube que era um covarde. Um covarde que, vez por outra, sofre surtos de bravura. Os covardes são, regra geral, mais inteligentes do que os corajosos. A maior parte dos heróis, os gajos que avançam de peito descoberto sob fogo inimigo, não se distinguem pela clareza de ideias. Nunca conheci um herói que fosse um bom jogador de xadrez.

    Também a Ava se exaltou quando lhe falei no meu plano. Disse-me que se eu decidisse ir adiante com ele, voltaria para Cuba. Desisti.

Terça-feira, 8 de novembro de 2016

Hoje é o aniversário da minha primeira morte. Em anos anteriores costumava levantar-me de manhã cedo e sair caminhando pela praia, tentando não pensar em nada. Não pensar em nada, quando se tem o coração pesado de dor, é muito difícil. Eu apenas caminhava. O sol sobre a minha cabeça, crescendo a cada minuto, até que em algum momento me deixava cair de joelhos. Queria que a luz me lavasse. A luz lava, limpa o rancor, mas não ajuda a esquecer. Nunca contei a ninguém o que se passou naquele dia. Não conseguia. Esta manhã sentei-me na areia, com os pés no mar, a cabeça da Ava pousada no meu colo, e contei-lhe tudo. Falei durante muito tempo. Quando terminei estava finalmente em paz.

Adriano era a única pessoa, de entre aquelas com quem convivo, que sabe o que se passou. Até hoje. Agora Ava também sabe. Mas ele estava lá. Testemunhou tudo. Viu, como eu vi, a minha mulher ser arrastada pelos cabelos, aos gritos. Viu quando lhe empurraram o rosto contra a poeira vermelha. Viu quando lhe encostaram a lâmina ao pescoço. Também viu quando mataram os meus meninos. Paizinho tinha três anos. Dudu, cinco meses.

Creio que Ava voltou para me salvar.

Quinta-feira, 10 de novembro de 2016

Ontem, ao acordarmos, Ava beijou-me nos lábios, disse-me:

— Sonhei contigo.

— Sim, eu sei — respondi. — Estávamos ambos num imenso jardim, cheio de borboletas.

Ela recuou, olhou para mim um pouco assustada:

— Como sabes?

Disse-lhe a verdade. Eu sonhara o mesmo sonho. Mais: estive sempre lúcido enquanto o sonhava, se é que isso faz sentido. Foi como o capitão Pablo Pinto, ou capitão Juan Ernesto, qualquer que fosse o nome dele, gostaria que tivesse acontecido, lá, em Havana, há tantos anos. O sonho avançando e eu me passeando ao longo dele, falando com a Ava como se ela estivesse acordada.

Esta noite aconteceu de novo. Portanto, voltei a sonhar. Voltei a ser sonhado.»

37.

O homem saiu da sombra da mangueira e olhou-me de frente. O olhar dele perturbou-me mais do que a impossibilidade daquele encontro. Hossi olhava para mim sem o menor sinal de reconhecimento, como se me visse pela primeira vez. Deixei cair a caixa de sapatos. A caixa abriu-se e os diários ficaram espalhados pelo chão, seis cadernos grossos, cinco deles atados com fitas vermelhas.

— Hossi, o que fazes tu aqui?!

O homem hesitou:

— O que aconteceu? — Era igual a Hossi, mas sem a mágoa que sempre o cobria como uma carapaça. — Quem é o senhor?

Então compreendi:

— Você é o Jamba, certo?

— Sim, e você?

— Julguei que tivesse morrido. O Hossi disse-me que você morreu na guerra.

— Não morri, pelo contrário, voltei a viver: desertei.

Sentamo-nos a uma das mesas do restaurante. Apresentei-me. Disse-lhe que Hossi fora ferido a tiro, com muita gravidade, e que me pedira para ir até lá, Cabo Ledo, recolher alguns textos e documentos. Não lhe disse que o irmão me pedira isso em sonhos. Jamba contou-me a sua história. Em julho de 2001 foi a Lisboa, para frequentar um curso sobre telecomunicações, e já não regressou. Trabalhou durante alguns meses no bar de um amigo, na Nazaré, a servir à mesa. Esteve em Paris dois anos lavando pratos no restaurante de um outro antigo desertor angolano e, de lá, foi para Londres. Esteve ainda em Barcelona, Amsterdã, Berlim, sempre em situação irregular, mudando de emprego e de cidade, para escapar à polícia. Em 2010, conheceu uma namibiana de origem alemã. Casaram e foram viver em Swakopmund, uma pequena cidade costeira, com arquitetura colonial alemã, não muito longe da fronteira com Angola.

— E durante todo esse tempo não conseguiu falar com o seu irmão? Não foi capaz de descobrir o paradeiro dele?

Jamba sacudiu os ombros:

— Encontrá-lo foi fácil. Mas o Hossi sempre se recusou a falar comigo. Diz a toda a gente que eu morri na guerra.

— Por quê?!

— É uma história triste.

Jamba era major das forças governamentais, especialista em telecomunicações, quando, em outubro de 1999, estas reconquistaram o Bailundo. O pai de Jamba e Hossi, Graciliano, fugira do Huambo e estabelecera-se na povoação, trabalhando como mecânico. Hossi jantou com o pai, poucos dias antes da reconquista, despediu-se dele e partiu com os guerrilheiros. Alguns dias depois, já com as forças governamentais dentro da cidade, Jamba apareceu para jantar. O velho abraçou-o com o mesmo calor com que abraçara o outro filho, sentou-o à mesa e deu-lhe o que havia para comer, muito pouco, apenas pirão e cogumelos frescos. Conversaram sobre as viagens no Comboio Mala, as antigas locomotivas a vapor, temas que faziam Graciliano sorrir.

Antes do fim do jantar, um grupo de soldados entrou na casa e levou o velho, acusando-o de colaboração com a guerrilha. Jamba gritou, protestou, mas não serviu de nada. Várias testemunhas identificaram Graciliano, nos dias seguintes, não apenas como simpatizante do Galo Negro, mas como militante, com responsabilidades políticas elevadas. Talvez fosse falso. O certo é que o velho morreu na cadeia, dias depois, em circunstâncias obscuras, e Hossi nunca perdoou o irmão.

— Fiz tudo o que estava ao meu alcance — disse-me Jamba. Achei-o sincero. — Acabaram por me prender também a mim, durante algumas semanas. Perdi a confiança no Exército. Logo que tive oportunidade, desertei. Hossi não voltou a falar comigo.

Jamba voltou a Angola por causa da prisão do sobrinho. Entrou no país, ao volante do seu carro, pela fronteira de Santa Clara. No Lubango deu boleia a um jovem agrônomo brasileiro, surfista fanático, chamado Caio César, que viajara desde Porto Amboim, sozinho, depois de ouvir falar nas ondas prodigiosas do sul de Angola.

— Lá no Namibe tem uma esquerda tubular de três quilômetros! — contou entusiasmado. — Cara, uma onda tão, mas tão perfeita, que você pode dropar de qualquer lugar que quiser.

Jamba pensara em parar no Huambo para dormir e rever familiares, mas Caio propôs dividir o volante com ele, em turnos de quatro horas. Também o brasileiro tinha pressa em chegar. Assim fizeram. Despediram-se em Porto Amboim, como se fossem velhos amigos. O antigo militar não teve dificuldade em encontrar o Hotel Arco-Íris. Encostou o carro ao lado do meu, à sombra da mangueira, um pouco intrigado por não ver movimento algum, e saiu. Foi então que apareci.

— E agora? — perguntei-lhe, depois que Jamba concluiu a sua história. — O que tenciona fazer?

— Agora vou até Luanda. Vou ver o Hossi.

Fiquei em silêncio, olhando o mar.

— Alguém sabe que você está aqui?

— Não. Não me anunciei. Tive medo de ser detido à chegada, por deserção.

— Tanto melhor. Não diga a ninguém. Vou levá-lo para minha casa até a situação acalmar. Tenho a sensação de que o Hossi estava à sua espera e de que tem um papel para si: só não sei qual é.

38.

Uma buganvília explodindo num rubro e silencioso estrondo. O muro em ruínas. Ao fundo, um friso de palmeiras, como um debrum de rendas.

Era o meu sonho!

O corvo, que não era um corvo, e sim Hossi Apolónio Kaley, sob a forma de um corvo; a seguir, o mesmo corvo pousado no ombro do meu amigo. Hossi & Hossi. O Hossi que tinha forma humana vestido com o ridículo casaco de porteiro. O outro, aferrado ao ombro dele, afiando o bico nas medalhas de latão.

"Sim!", confirmei. "Foi exatamente assim."

Cinema mudo.

Eu tinha lágrimas nos olhos: "É que foi exatamente assim."

Estávamos no meu apartamento. Além de mim, sentados no sofá da sala e em mais três cadeiras, estavam Moira, Hélio, Armando Carlos, Jamba e Melquesideque. Hélio ligara o laptop dele à televisão. Revíamos pela quinta vez o filme que o cientista brasileiro gravara enquanto eu dormia.

Moira e Hélio tinham chegado três dias antes. Ela ficou comigo. Hélio instalou-se no apartamento de Armando Carlos. Os dois entenderam-se logo muito bem. Partilham um idêntico horror pela sociedade de consumo, um mesmo desprezo pelas convenções sociais e gostos muito semelhantes no que diz respeito a música e a literatura.

Ao contrário do que eu temia, Melquesideque não colocou nenhuma objeção a que tentássemos nos comunicar com Hossi através dos sonhos. Pelo contrário, a experiência entusiasmou-o. Informou o diretor da clínica de que um neurocientista brasileiro iria experimentar um método novo para arrancar Hossi ao estado de coma. O diretor, um sujeito obeso, narcoléptico, antigo deputado do partido no poder e cunhado de um dos filhos do presidente, não mostrou particular interesse. Quis saber quem pagaria a vinda do brasileiro e todo o tratamento. A seguir, após uma prolongada pausa e um imenso bocejo perguntou se o doutor Tolentino não estaria disposto a fazer uma doação à clínica. Melquesideque recordou-lhe que o doutor Tolentino, um homem muito querido e respeitado, com amigos influentes, já gastava muito dinheiro apoiando um lar para crianças abandonadas.

— Está certo — concedeu o diretor. — Só não entendo essa vossa devoção por um antigo guerrilheiro, um bailundo qualquer, ainda por cima tio de um terrorista.

— Acho que se chama amizade — retorquiu Melquezideque. — O Hossi é nosso amigo.

Melquezideque mandou colocar mais uma cama no quarto do Hossi. Concordamos que eu seria o primeiro a experimentar a máquina. Hélio colocou-me uma espécie de touca na cabeça, cheia de fios, insistindo para que me esquecesse dela e relaxasse. Estendi-me na cama e esperei que o sono viesse.

— E o que te disse o Hossi? — perguntou Moira, enquanto víamos o filme. — É uma pena que não consigamos gravar som.

Disse-lhes que trocáramos recordações de infância. Nada de relevante. Após a morte da minha avó, quando eu tinha treze anos, costumava galgar o abacateiro até um dos ramos mais altos. Havia um buraco no tronco. Eu falava para o buraco convencido de que o abacateiro seria capaz de estabelecer algum tipo de ligação mágica entre mim e a minha avó, onde quer que ela estivesse. Recordei o episódio e Hossi, o corvo, riu-se, um riso macio, sem maldade, enquanto o outro Hossi, o porteiro de hotel, permanecia impávido, olhando, com os olhos semicerrados, o friso de palmeiras ao longe. A seguir Hossi, falando através do corvo, contou-me que, com a mesma idade, ele e o irmão iam todos os sábados ao cemitério, às escondidas dos pais, para conversarem com a irmã mais velha. A menina morrera, aos dezoito anos, às vésperas de Natal, à saída da Missa do Galo, atropelada por um sargento do Exército colonial.

"Não há diferença alguma entre falar para uma cruz, num cemitério, ou falar para um buraco numa árvore", disse Hossi. "É igualmente disparatado. Em todo o caso, acho um disparate mais bonito falar para o buraco de uma árvore do que para uma cruz de pedra."

— Isso nunca aconteceu — contestou Jamba, assim que terminei de falar. — Nós só temos uma irmã, Judite, e graças a Deus ela está viva. Bem viva. É a mãe do Sabino.

O silêncio que se seguiu era quase uma acusação. Sacudi a cabeça, irritado:

— Então o meu sonho é uma mentira?

— Apenas um sonho — disse Hélio. — Por que haveria de ser mais do que um sonho?

— Sim, um sonho, mas não um sonho qualquer. Eu sonhei com o Hossi, vestindo o tal casaco roxo. A Ava também tem sonhado com ele, como acontecia em Havana. Pelo menos conseguimos provar que existe alguma verdade...

Hélio interrompeu-me:

— Não prova nada. Você sonhou com o Hossi, sonhou com ele vestindo o tal casaco, porque anda obcecado com toda essa história.

— O Hélio tem razão — disse Armando Carlos. — Entre duas hipóteses, manda a sensatez que se escolha a mais simples.

Moira abraçou-me:

— Lamento, querido. Eu gostaria de acreditar...

— Sim?! — levantei-me. — E então o sonho em que o Hossi me disse para buscar os diários dele, lá, em Cabo Ledo? Como é que eu sabia onde ele escondia a chave do bangalô? Onde ele guardava os diários?

— Não tenho certeza — disse Hélio, encolhendo os ombros. — O que você acha?

— Já não sei o que pensar.

— Existem várias possibilidades. O Hossi pode ter-lhe falado nesses diários, pode ter-lhe dito onde costumava guardar as chaves do bangalô. O tempo passou e você esqueceu. Ou julgou que se havia esquecido. Muitas memórias que julgávamos perdidas regressam nos sonhos.

Voltei a sentar-me, sem forças:

— Pode ser.

Mais tarde, nessa noite, Moira enroscou-se em mim. Permaneci imóvel, distante. Ela estranhou o meu alheamento:

— O que se passa?

Não respondi. Jamba ressonava, estendido no sofá da sala. Será que sonhava? Com que sonharia ele?

39.

Tinham-lhe cortado as tranças. O cabelo voltara a crescer do lado que ela rapara, cobrindo a tatuagem com a palavra "liberdade". Estendida na cama, muito magra, a pele pálida e sem brilho, a minha filha recordou-me uma daquelas gravuras antigas de santas que os padres distribuíam na catequese. Também me fez lembrar de uma reportagem que vi, há alguns anos, sobre um terramoto em algum país do Oriente Médio. Os bombeiros avançavam através dos escombros, transportando numa maca uma menina que permanecera vários dias soterrada e sobrevivera. O rosto dela estava coberto por uma fina camada de poeira branca. O corpo já parecia morto. Contudo, os olhos, muito abertos, estavam cheios de luz. Eram assim os olhos da minha filha.

    Sentei-me ao lado dela e dei-lhe a mão. Karinguiri voltou para mim toda aquela límpida luz, num sorriso triste:

    — Papoite, estás tão magrinho!

    Fazia vinte e um dias que Karinguiri, Sabino e Bicho Mau não ingeriam nenhum alimento sólido. Os restantes revus haviam abandonado a greve de fome, uns devido a problemas de saúde graves, como Lila, outros por pressão dos familiares. O presidente permanecia silencioso. O governo não se pronunciara. João Aquilino, o diretor do *Jornal de Angola*, publicara um violento artigo de opinião, insurgindo-se contra a "imprensa internacional ao serviço do neocolonialismo" e os "jornalistas traidores da pátria, que apoiam e dão voz a perigosos delinquentes políticos, com o propósito de derrubar um governo legítimo, amado e apoiado por todo o povo angolano".

Saí da prisão de São Paulo, como sempre acontecia, com o coração pesado de angústia. Uma jornalista portuguesa, enviada a Luanda por um canal a cabo com grande audiência, tanto em Portugal quanto em Angola, esperava por mim junto ao portão, diante de um pequeno grupo de jovens manifestantes. Eram mais polícias, todos armados, alguns deles segurando cães, do que manifestantes.

— Boa tarde! — cumprimentou a jornalista. — Como está a sua filha?

— Mal, muito mal. Como queria que estivesse?

— Ainda espera que o presidente se comova, tenha um gesto de compaixão e liberte os jovens?

A entrevista está disponível em vários endereços na internet. É possível assistir ao instante exato em que o Demônio Benchimol toma conta de mim. Reteso o corpo e levanto a voz. Alguns dizem que chego a gritar, mas não sei, nunca vi:

— Compaixão?! Seria como chocar um ovo de serpente na esperança de que um anjo saltasse lá de dentro. Não se pode esperar de um homem mau e corrupto senão corrupção e maldade. — Breve pausa para respirar. — Esse homem a que você chama presidente não passa de um tirano covarde, fechado dia e noite dentro dos muros altos de um palácio colonial, porque nem coragem tem para sair à rua e enfrentar o povo. É um filho da puta!

Disse outras duas ou três frases, qualquer uma delas mais inteligentes do que as primeiras, mas foram aquelas que me tornaram famoso. Enfim, quase famoso. Até esse dia poucas pessoas em Angola conheciam o meu rosto. No estrangeiro, naturalmente, ninguém jamais ouvira falar de mim. Em duas horas tudo mudou. Estava na clínica da Muxima quando o meu telefone começou a tocar. Tocou a tarde inteira. Jornalistas ligaram de Portugal, do Brasil, de Moçambique, de Cabo Verde, da França, da Alemanha, querendo que eu confirmasse o que havia dito. Ligaram também muitos amigos, uns para manifestar o seu apoio, outros para me censurar. Recebi, sem surpresa, uma chamada de Lucrécia, irritadíssima, dizendo que com a minha grosseira, estúpida e irresponsável entrevista pusera em causa duas semanas de "esforços diplomáticos, envolvendo muita gente respeitável" (palavras dela), sendo que o presidente já se havia comprometido a libertar Karinguiri. A única exigência era que a nossa filha aceitasse retornar a Lisboa, para concluir o curso. O governo estava disposto a esquecer tudo e, inclusive, a oferecer-lhe uma generosa bolsa de estudos. Perguntei-lhe se havia falado desse plano à interessada. Não me respondeu. Gritou-me que eu sempre fora um péssimo pai, que seria sempre um desastre enquanto pai, e desligou.

Voltei para casa. Diante do prédio estendia-se um descampado, que nos últimos meses se fora enchendo de barracas. Ao sair do carro vi um velho, sentado numa pedra, diante de uma dessas barracas. Reconheci-o. Costumava vê-lo ali, debaixo do sol, debaixo da chuva, olhando para mim como se me responsabilizasse pela desdita em que se encontrava. Dessa vez o que me chamou a atenção foi o casaco. O velho vestia um casaco de uma cor rara, um azul avermelhado, quase roxo, no qual estavam presas uma série de pequenas chapas de alumínio, recortadas de latas de bebidas, fazendo as vezes de medalhas militares. Aproximei-me dele:

— Onde arranjou o casaco?

O velho atirou-me um olhar de troça:

— É o meu casaco de general. Eu mesmo fiz. Fui alfaiate.

— Gosto muito. Por quanto é que você o vende?

Riu, feliz como um noivo, expondo as gengivas nuas:

— Dois mil kwanzas.

Era um preço absurdo. Abanei a cabeça, entre pasmado e divertido, e dei-lhe quatro mil. O velho contou as notas e guardou-as numa bolsa de couro, muito gasta. Depois despiu o casaco e entregou-mo. Em tronco nu, muito magro, lembrava um monge budista em adiantado estado de automumificação. Despi a minha camisa, que ele aceitou sem uma palavra de agradecimento, e coloquei o casaco. Entrei assim vestido no apartamento. Jamba, que estava sentado no sofá da sala, a ver televisão, soltou uma imensa gargalhada:

— É Carnaval ou você decidiu mascarar-se de maluco para escapar à polícia?!

Vira a entrevista, minutos antes, no canal português. Achava que eu tinha ido longe demais. Na opinião dele, o melhor seria pedir asilo político na embaixada da Suécia, na do Brasil ou na de Cabo Verde. Não na de Portugal – insistiu –, nunca na embaixada de Portugal, pois o mais provável seria os portugueses devolverem-me, já algemado, juntamente com um pedido de desculpas ao governo angolano.

Dei-lhe razão. Insisti para que se mantivesse escondido, que tivesse cuidado com os jornalistas, e não abrisse a porta a ninguém. Guardei o estranho casaco roxo, ou quase roxo, no guarda-roupa, tomei uma ducha, vesti uma camisa lavada e voltei a sair. Estacionei o carro junto à clínica da Muxima. Hélio e Moira estavam no quarto de Hossi, tentando convencer Ava a ligar-se à máquina de filmar sonhos. A cubana recusou-se:

— Não! Seria como ter alguém espreitando pela janela. Não consigo fazer isso.

Dei razão a Ava. Sugeri que procurássemos outras pessoas. Moira ofereceu-se para dormir nessa noite no quarto de Hossi. Olhei-a surpreso:

— Tu? Tu nem sequer o conhecias.

— Mais um motivo. Não sou tão sugestionável quanto vocês.

Respondi que nesse caso também eu ficaria ali. De qualquer forma não me apetecia voltar para casa. Jamba ligara para mim, dez minutos depois de eu ter chegado à clínica, para me dizer que estava um magote de jornalistas postados, como salteadores, à entrada do prédio. Um deles chegara mesmo a entrar. Subira no elevador e tocara à porta do apartamento.

Ava despediu-se, por volta das seis da tarde, e foi-se embora, chorando muito. Melquesideque apareceu pouco depois. Estudou com tristeza um dossiê que uma das enfermeiras lhe trouxe. Debruçou-se sobre o rosto ressequido do Hossi. Pareceu-me que lhe segredava alguma coisa ao ouvido. Finalmente, voltou-se para mim:

— O nosso amigo está cada vez pior. Acho que desistiu de viver.

Convidou-me para tomar um café num pequeno bar, ao lado da clínica. Sentei-me com ele a uma mesa. Reparei que os clientes restantes murmuravam uns com os outros, olhando-me de caxexe (uns com respeito, outros com aberto rancor).

— Falam de si — disse Melquesideque, sorrindo. — Você é o assunto do dia.

Ofereceu-me um sorriso divertido:

— Parabéns pela loucura.

— Agrada-me que tenha escolhido essa palavra — confessei. — A maioria das pessoas, entre aquelas que estão do meu lado, felicita-me pela coragem. Eu acho que você escolheu a palavra certa, não foi coragem, foi loucura. Um instante de loucura. Mas, sendo assim, não mereço a admiração de ninguém.

— Merece, sim. Em geral não há beleza alguma na loucura. Nos casos em que há, ela é digna de admiração. Aquele seu surto, deixe-me que lhe diga, aquele seu surto foi um momento maravilhoso.

Mostrou-me uma mensagem que andava a circular nos telefones e redes sociais, convocando toda a população de Luanda para uma grande manifestação, nessa noite, no largo da Independência: "Não se pode esperar de um homem mau e corrupto senão maldade e corrupção. Vem para as ruas exigir a libertação imediata de todos os presos políticos. Abaixo a ditadura! Viva a liberdade!".

Despedi-me dele e voltei para o quarto do Hossi. Estava sentado a um canto, lendo as muitas mensagens que continuavam a entrar, quando Armando Carlos me ligou. Estava no largo da Independência:

— Há dezenas de pessoas aqui, mano. Muito entusiasmo. Muita alegria. Tem miúdos com batuques, dançando e cantando. Devias juntar-te a nós. Afinal de contas, muitos destes jovens estão aqui por tua causa.

— Estou na clínica da Muxima.

— Queres que te vá buscar?

Hesitei. Disse-lhe que Hossi estava muito mal. Talvez não passasse daquela noite. Armando Carlos compreendeu. Ele conhece-me bem:

— Estás com medo de vir?

— Claro que estou com medo.

— Depois daquela entrevista acho que já não podes voltar atrás. Tens de seguir em frente. Ainda não vejo muitos polícias por aqui, apenas meia dúzia de agentes com um ar envergonhado. Nem sabem o que fazer. Os ninjas, os profissionais da repressão, esses não devem tardar. Quanto mais povo estiver na praça, antes de eles aparecerem, mais difícil será agredirem-nos. Vem!

Disse-lhe que sim, que iria.

Cheguei a levantar-me. Cheguei mesmo a despedir-me do Hélio e da Moira, os quais, de resto, não me prestaram nenhuma atenção. Não fui. Voltei a sentar-me. Vi como o cientista brasileiro ajudava Moira a colocar a touca na cabeça e lhe segredava instruções. Ela estendeu-se na cama. Ele apagou a luz, ocupou a outra cadeira e mergulhou nos gráficos que se sucediam, como relâmpagos coloridos, na tela do seu pequeno laptop. Desliguei o telefone, fechei os olhos e abandonei-me ao cansaço.

Acordei de repente. Duas enfermeiras tentavam reanimar o Hossi, uma delas, a mais velha, gritando instruções à outra. Saltei da cadeira. Um médico jovem, amigo de Melquesideque, entrou a correr no quarto.

— O que está a acontecer? — perguntei-lhe.

O homem afastou-me com um gesto ríspido, como se eu fosse uma criança impertinente, e juntou-se às enfermeiras. O sol entrava pelas janelas abertas. Hélio e Moira não estavam. Não havia nenhum sinal deles. Liguei o telefone e as mensagens começaram a entrar. As primeiras eram de Armando Carlos:

23h17: "Chegaram os ninjas. Vou tentar falar com eles".

23h28: "Grande confusão. Lançaram os cães. Avançam à bastonada. Há vários miúdos feridos".

23h58: "Também eu fui mordido num braço. Estão a levar-nos para a esquadra. Espero que não nos tirem os telefones".

0h18: "Estou na 29ª Esquadra. Os gajos começaram a revistar todo o mundo. Aqui somos quinze. Alerta os teus amigos jornalistas no estrangeiro. Alerta todo o mundo".

7h38: "Onde estás? Fomos soltos após uma noite inteira de interrogatórios. Uma coisa de malucos. Só agora me devolveram o telefone. Estou a ir para uma clínica tratar do braço".

8h: "O que está a acontecer? Alguma coisa muito estranha está a acontecer. Sabes o que se passa? Liga-me!".

O médico interrompeu-me:
— Sinto muito — disse. — O seu amigo morreu.
Olhei-o sem entender:
— O Hossi morreu?! Agora?
— Ele estava muito mal. Não havia esperança...

Foi só nesse instante que me ocorreu o sonho. Não aconteceu como é regra. Normalmente, só me lembro de um sonho no instante em que acordo e quase sempre esboroa-se e perco-o. Por vezes, desperto, levanto-me da cama, vou lavar o rosto, e então um determinado cheiro, um qualquer pequeno acontecimento, ilumina uma imagem vaga entre a escuridão, uma frase, uma ideia. Se tiver sorte consigo agarrar-me a essa mão que se agita e salvar o sonho quase completo com diálogos longos e cenas complexas. Daquela vez não foi assim. O sonho emergiu de chofre no meu espírito, brilhante e inteiro, como um enorme peixe prateado estilhaçando o liso espelho das águas. Saí do quarto a correr. Não esperei o elevador. Desci pelas escadas e entrei no carro. Liguei para Armando Carlos:
— Onde estás?
— Em casa. Estou com o Hélio e a Moira. Tens de vir já para aqui.
— Vou a caminho.

Liguei o carro e arranquei. Havia muita gente nas ruas. Algumas pessoas traziam cartazes: "Liberdade já!", "Só teremos paz em democracia", "Esmaguemos o tirano!".

Acelerei. Cheguei ao largo da Maianga em quinze minutos. Estacionei em cima do passeio, diante do prédio de Armando Carlos, e subi a correr os degraus arruinados. A porta estava aberta. Encontrei o meu amigo na sala, sentado numa grade de cerveja, diante do laptop do Hélio. Tinha o braço direito enfaixado. Moira e o cientista estavam de pé, atrás dele.

— Tens de ver isto! — disse-me Armando Carlos.

Aproximei-me. Olhei, incrédulo, as imagens em movimento:

— É o meu sonho! Vocês gravaram o meu sonho?!

— Não é o teu sonho. — contestou Moira. — É o meu sonho.

— Nem teu nem dele. — disse Armando Carlos, muito calmo. — Parece que esta noite, em Luanda, todas as pessoas tiveram o mesmo sonho.

— O que queres dizer?

— Foi assim mesmo — disse Moira. — Sai à rua e fala com as pessoas. Vais ficar espantado. Esse povo todo, lá fora, sonhou com o Hossi. O mesmo sonho que eu tive.

— Infelizmente, eu não sonhei — lamentou-se Armando Carlos. — Estava a ser interrogado. Mesmo assim acho que posso dizer: é nosso! É o nosso sonho!

40.

A porta do palácio estava fechada, mas nenhum soldado a defendia. Então Hossi atravessou a parede. Cruzou-a com desenvoltura, num salto elástico e firme, como se o destino das paredes fosse o de ser atravessadas. O presidente esperava-o, de pé, num gabinete enorme, diante de uma mesa atafulhada de papéis. Era um homem ainda aprumado, com um porte de bailarino, não obstante já ter ultrapassado os setenta anos e sofrer de uma grave doença óssea.

O Hossi e o presidente encararam-se como dois galos numa rinha, segundos antes de se lançarem um contra o outro.

— O que você quer? — perguntou o presidente.

— Tudo! — respondeu o Hossi.

Disse isso enquanto, com um simples gesto, rachava o presidente ao meio. Do interior do presidente irrompeu um presidente menor, mas ainda mais empertigado que o anterior:

— Por quê? — perguntou o pequeno presidente.

— O senhor roubou-nos o país.

— Ninguém rouba o que é seu — contestou o pequeno presidente. — Somos todos angolanos.

— Somos, sim, mas o que estava combinado era que as riquezas da nação seriam utilizadas em proveito geral. Você destruiu o futuro dos nossos filhos. Destruiu o nosso sonho. Diga a verdade.

— Que verdade?

— Por que prendeu os revus?

— São terroristas.

Com o mesmo gesto simples, Hossi rachou o pequeno presidente ao meio. Logo um outro homenzinho, mínimo, que mal chegava aos joelhos do antigo guerrilheiro, emergiu do interior do pequeno presidente.

— Por que prendeu os revus? — insistiu o Hossi.

— São perigosos — disse o mínimo presidente. A voz tremia-lhe. — Você viveu a guerra. Esses miúdos não. Eles não conhecem o horror da guerra. Estão a atear incêndios. A dividir a sociedade. Mandei-os prender porque não quero uma nova guerra.

Hossi rachou o mínimo presidente ao meio. O que surgiu em seu lugar era um ser ínfimo, assustado, com uma minúscula voz de cana rachada.

— Pare! — implorou o ínfimo presidente. — O que você quer?

— Diga a verdade. Por que prendeu os revus?

O ínfimo presidente rendeu-se:

— Eles não têm medo! Esses miúdos não têm medo! Onde já se viu?! São malucos, não mostram medo, e isso é uma doença contagiosa.

— Isso, o senhor quer dizer, a coragem?

— São malucos. Você não percebe que são malucos? Se os solto vão contagiar toda a gente. Vão destruir-me, a mim e à minha família. Vão destruir tudo aquilo que nós construímos. Não os posso soltar.

Hossi pisou o ínfimo presidente, esmagando-o.

Pessoas começaram a atravessar as paredes: jovens com batuques; velhos carregando enxadas e catanas; mecânicos, com os macacões sujos de óleo; rapazes mucubais, com crinas de zebra na cabeça. Meninos descalços, quimbandeiros, soldados, estudantes, pescadores. E também catorzinhas, quitandeiras, peixeiras, zungueiras, kinguilas, as antiquíssimas bessanganas, dobradas ao peso da idade; mamãs grávidas, com um filho às costas e outro pela mão; cozinheiras, lavadeiras e babás.

Todas aquelas pessoas ficaram ali, no imenso gabinete presidencial, girando como peixes num aquário; contemplando, com redondos olhos de assombro, as telas nas paredes e os armários de portas abertas, dentro dos quais se podiam ver milhares de bustos do presidente, em ouro e prata; as cabeças empalhadas dos antigos fracionistas e inimigos do povo, desaparecidos havia tantos anos; boiões de vidro cheios de pequenos corações aflitos, ainda vivos e palpitantes e, ao lado, globos de cristal em que flutuavam, num céu tão azul quanto o da minha infância nos dias felizes, as brincadeiras por estrear das catorzinhas e dos meninos descalços.

— Está tudo aqui — disse uma das bessanganas apontando em redor. — Todos os dias que nos roubaram.

Começou a chorar.

Chorava e ria.

Aquela bessangana éramos todos nós.

41.

Assim que o meu olhar encontrou o de Jamba, percebi que ele já sabia. Até hoje não sei como soube. Talvez alguma estação de rádio tenha difundido a notícia. Estava de pé, junto à janela. Voltou-se, e eu lembrei-me do olhar de uma cabra esquálida, amarrada junto aos destroços ferrugentos de um tanque de guerra, num desses anos difíceis que atravessamos. Abracei-o. A princípio ele retesou-se, como se não estivesse disposto a aceitar o meu abraço. Por fim, cedeu. Também não trocamos nenhuma palavra sobre o sonho. Não era necessário. Fiz um chá para os dois. Bebemos em silêncio. Fui ao guarda-roupa buscar o casaco roxo. Dei-lhe o casaco:

— Vista isto.

Jamba não estranhou. Vestiu o casaco por cima de uma camisa branca.

— Vamos ao palácio, é isso?

— É isso.

Armando Carlos esperava por nós dentro do carro. Sentei-me ao volante e liguei o motor. À medida que nos movíamos em direção à cidade alta, ia aumentando o número de pessoas nas ruas, num crescendo de agitação e clamor. O clima era de festa, como se fosse Carnaval, com homens e mulheres cantando, dançando, improvisando palavras de ordem. Alguns polícias participavam da festa. Vimos um único agente, espantado, aos gritos, aos saltos, cercado pelo riso e a zombaria do povo.

— Este passou a noite a trabalhar — comentou, trocista, Armando Carlos. — Deve ser um dos que nos interrogou.

Nos Coqueiros, a multidão era já tanta que decidimos abandonar o carro e continuar a pé. Assim que Jamba saltou para o asfalto, com o seu extraordinário casaco roxo, houve um confuso alarido que se propagou em ondas concêntricas, logo seguido por um espantoso silêncio, e toda aquela gente se afastou para nos dar passagem.

Fomos avançando, como numa espécie de milagre, com as pessoas estendendo os dedos nervosos para tocar em Jamba, mas sem nunca nos tolherem os passos. Não chegamos ao palácio porque o encontramos cercado por um fortíssimo aparato militar.

— Estes gajos são das Forças Especiais de Apoio ao Comandante em Chefe — disse Armando Carlos. — São perigosos.

— E o sonho? — indagou Jamba.

— Sei lá. Talvez sejam treinados para não sonhar — troçou o meu amigo.

As pessoas, à nossa volta, haviam voltado a entoar palavras de ordem: "Por que prendeu os revus, presidente? Por que prendeu? Por que prendeu os revus?".

Os militares olhavam para Jamba com terror. Tive a certeza de que nenhum se atreveria a disparar contra ele. Talvez contra o povo, talvez contra mim e Armando Carlos, mas não contra ele.

— E agora? — perguntou Jamba. — O que fazemos?

— Diga-lhes que queremos falar com o oficial responsável — sugeriu Armando Carlos.

— Queremos falar com o vosso comandante! — gritou Jamba. — Queremos passar!

O grito de Jamba fez estremecer os militares. A multidão silenciou. Aqui e ali alguém tossia. Uma criança chorava. Ouviam-se, ao longe, buzinas de carros. Finalmente, apareceu um oficial, segurando um megafone. Afastou os militares, acenando com a mão livre para que avançássemos:

— Venham! Rápido! O presidente está disposto a falar com os senhores.

Passamos pelos soldados. Alguns dos manifestantes tentaram seguir-nos, sendo afastados à coronhada. Logo se ergueu terrível gritaria. As pessoas, em vez de recuarem, lançaram-se de encontro à barreira. O oficial passou-me o megafone:

— Diga-lhes que se acalmem. Isto ainda acaba em sangue.

Agarrei o megafone com ambas as mãos.

— Calma! — gritei. As palavras saíam-me da boca sem que eu pensasse nelas. — Calma! Vamos entrar e falar com o velho. Tenham paciência, esperem aqui até o nosso regresso.

Jamba tirou-me o megafone:

— Voltaremos! Liberdade para os revus!

A multidão gritou, num imenso coro:

— Liberdade para os revus!

— Isto não é um comício! — aborreceu-se o oficial. — Dê-me o megafone e vamos!

Tirou-lhe o megafone e conduziu-nos ao palácio. Atravessamos salas de que não recordo nenhum pormenor, a não ser a luz crepuscular, e mesmo essa porque parecia pulsar, ganhando alento, de cada vez que, lá fora, a turba gritava "liberdade! Liberdade!", e depois corredores e outros corredores, todos desertos, até chegarmos a um amplo salão, iluminado, numa das paredes por três enormes óleos sobre tela. A mim pareceu-me que o tríptico representava uma sereia flutuando num mar cor de esmeralda. Armando Carlos quase se zangou – que não! Que não! – Que se via logo que era uma nave espacial, uma nave espacial singrando através do azul infinito. Jamba discordou dele e discordou de mim, pois parecia-lhe óbvio que o pintor mais não pretendera senão figurar, com grande fidelidade, um mukishi dançando entre o capinzal úmido das chuvas. Estávamos nisto, discutindo o significado do tríptico, quando o mesmo oficial que nos levara até ali entrou no salão, perfilou-se e anunciou:

— Sua excelência, o senhor presidente da República!

O presidente entrou. Achei-o baixo, débil, quase um velho, por comparação com o sujeito de voz macia e torso direito que costumava aparecer na televisão para declamar discursos inertes e que nos habituamos a odiar sem muito empenho, pois também ele não parecia pessoa capaz de sentimentos trabalhosos e, se mandava matar um jornalista aqui, um dissidente acolá, não o fazia tanto por autêntico rancor, e sim com o esforço de quem cumpre uma obrigação, e nem era difícil acreditar que se tivesse deixado permanecer no poder, durante tantas décadas, mais por esquecimento ou indolência do que por feroz e genuína vontade de mandar.

Não nos estendeu a mão:

— Sentem-se — disse, indicando com um gesto da cabeça um enorme sofá amarelo. Ao falar voltou a ser o homem que víamos na televisão, apenas um tudo nada mais débil e mais curvado. — Estava à vossa espera.

Sentamo-nos. Nenhum de nós sabia o que dizer. Então inclinei-me na direção dele e expliquei que tínhamos vindo em paz, com o único objetivo de negociar a libertação dos jovens. O presidente ignorou-me. Voltou-se para Jamba com um sorriso manso:

— Não sei como fez aquilo. Aquele truque do sonho.

— Não foi um truque — murmurou Jamba.

— Um truque, um milagre, o que quer que tenha sido, por favor não o volte a repetir. Aliás, informaram-me que você morreu, senhor Hossi. Disseram-me isso ainda há instantes. Ligaram-me assegurando de que o senhor está morto. Que está dentro de um caixão, na clínica da Muxima.

Jamba sorriu. A voz dele ganhou firmeza:

— E, no entanto, aqui me vê.

— Naturalmente. Ah, caso ainda não tenha dado por isso, fomos nós que o matamos. Lamento muito, o senhor não nos deixou alternativa.

— Imaginei que tivessem sido os seus homens. Aliás, juntamente com o meu sobrinho, com os restantes jovens, gostaria que libertasse também o senhor Ombembua...

— Já está solto. Foi solto há dois dias. Tanto quanto sei encontra-se neste momento num hotel, em Brazzaville, recuperando do susto. Pode ficar tranquilo, o homem recebeu uma justa indenização. Quanto a si...

— Quanto a mim?!

— Quanto a si, como me custa a acreditar que possa estar morto, na clínica da Muxima, e ao mesmo tempo vivo, aqui, a conversar comigo. Deduzo que o seu nome não seja Hossi, e sim Jamba. Os meus serviços de informações são muito maus, bem sei, mas não foi nada difícil descobrir o logro.

— Não, claro. Tenho amigos na tropa.

— Alguns inimigos também. Lamento muito se o desaponto, mas daqui a pouco, na televisão, iremos denunciar a fraude. Mostraremos as imagens do corpo do seu irmão e fotografias suas com ele, há muito tempo. As pessoas vão perceber que foram enganadas. Esta vossa palhaçada acaba aqui.

Armando Carlos soltou uma gargalhada furiosa. Parecia um deus a rir:

— Acaba aqui?! Será que o senhor não escuta o povo lá fora? Ouça...!

Fez um gesto largo, como se estivesse derrubando as paredes, e então ouviram-se nitidamente os gritos revoltos do povo, "Liberdade! Liberdade!", e por uma fração de segundos julguei adivinhar nos olhos do presidente uma chispa de terror, mas então ele mesmo ergueu a mão direita, de dedos muito finos e bem cuidados, e logo se apagaram os gritos, ou assim me pareceu:

— Não tenha ilusões, meu caro Armando. Esse povo que agora protesta contra mim estará a aplaudir-me daqui a pouco. O povo é volúvel, estúpido e sem memória.

— É o senhor que se ilude — retorqui, esforçando-me por não gritar. — Diga-me: onde está toda a gente?

Só então o homem olhou para mim:

— Que gente?

— A sua gente. Os seus generais. Os seus ministros. Os seus secretários e assistentes. Todos esses que ainda ontem se acotovelavam para entrar neste palácio.

— Virão quando eu os chamar.

— Não. Você já os chamou e eles não vieram.

— Viu os soldados lá fora...?

Jamba levantou-se:

— Eu fui militar, senhor presidente. Nenhum daqueles homens arriscará a vida para salvar a sua. Se não sairmos daqui nos próximos dez minutos, o povo avançará sem que ninguém lhe tente resistir. Liberte os miúdos.

Armando Carlos também se ergueu. Eu imitei-o.

— Liberte os jovens, agora. Ligue para a prisão. Queremos ouvi-lo a dar a ordem.

O presidente continuou sentado.

— Muito bem — concordou, finalmente. — Vou dar ordens para que os libertem. Antes disso, senhor Jamba, diga à multidão para retornar a casa.

— Não! Primeiro dê as ordens!

O presidente tirou um telefone prateado do bolso do casaco, fez uma série de chamadas, e eu notei que a voz já não era de mando, mas de súplica. Guardou o aparelho e olhou para nós, com os olhos atordoados de um homem que se agarra, sem esperança, aos últimos instantes de glória:

— Podem ir buscar os vossos filhos. Acabou!

Atravessamos o palácio deserto, sem trocar palavra, até emergimos do crepúsculo perpétuo dos salões para a luz brutal daquela tarde de prodígios. A multidão recebeu-nos com um único grito, "liberdade!", enquanto avançava, num inexorável movimento de júbilo, de encontro ao vasto desamparo dos soldados.

Epílogo

Ergo os olhos e vejo Moira flutuando, como se levitasse, no cristal translúcido do mar. Karinguiri está sentada ao meu lado, a ler. Aproveitou as férias da Páscoa para nos visitar. Chegou há dez dias e já conhece a ilha melhor do que eu. Os jovens estudantes universitários – a fortaleza abriga uma universidade – receberam-na como a uma profetisa. Também aqui há quem acredite em utopias.

Não eu. Eu apenas observo. Sou um observador indolente e desapaixonado: um *flâneur* bantu.

Li nos jornais que o presidente se arrisca a ser deportado não para Luanda, mas para um dos vários países onde colocou dinheiro. Agora que perdeu o poder, são muitos os antigos sócios, os antigos confrades, os antigos melhores amigos, a exigir a prisão dele. Desde que fugiu para a Rússia, num luxuoso avião, com a mulher e todos os filhos, que se vêm sucedendo as notícias sobre o colapso do seu imenso império financeiro. Os generais que lhe sucederam no poder, prometendo eleições livres e justas, adiadas a cada seis meses, não o querem de volta. Um julgamento público incomodaria muita gente.

Ontem mesmo recebi um e-mail de Armando Carlos: "Estamos à tua espera. Temos de terminar o que começamos. A luta continua".

Não lhe respondi.

Sinto-me bem aqui. Levo uma vida tranquila. Dou aulas na universidade. Leio muito, mergulho no mar. Moira deixou Cidade do Cabo de vez. Reinstalou o ateliê numa antiga ruína, mesmo diante do antiquíssimo casarão da família, com paredes largas como muralhas, onde vivemos. Continua a sonhar, a representar os próprios sonhos, e a sua obra não perdeu o poder da inquietação. Mas está muito mais calma desde que engravidou.

Ilha de Moçambique, 2 de março de 2017

Lista de músicas

"Meu Mundo É Hoje", Wilson Batista, José Batista; EMI, 1972.

"Yesterday", John Lennon, Paul McCartney; Parlophone, 1965.

"Tú me Acostumbraste", Frank Domínguez; Gema Records, 1958.

"Solamente Una Vez", Agustín Lara; composta em 1941, várias gravações.

"Bésame Mucho", Consuelo Velázquez; composta em 1941, várias gravações.

"Angelitos Negros", Andrés Eloy Blanco, Manuel Álvarez Maciste; composta em 1946, várias gravações.

"Canción de las Simples Cosas", Armando Tejada, César Isella; Philips, 1982.

**Acreditamos
nos livros**

Este livro foi composto em Utopia e
impresso pela Santa Marta para a Editora
Planeta do Brasil em janeiro de 2021.